CW00552627

TOUTES LES FAMILLES HEUREUSES

Né en 1957, Hervé Le Tellier est journaliste, linguiste, écrivain et éditeur. Mathématicien de formation, il est l'auteur de romans, d'essais et de poésie. Membre de l'Oulipo depuis 1992, il est également l'un des « Papous » de l'émission de France Culture. Son roman *L'Anomalie* a obtenu le prix Goncourt en 2020.

Paru au Livre de Poche :

ASSEZ PARLÉ D'AMOUR

ELÉCTRICO W

HERVÉ LE TELLIER

Toutes les familles heureuses

JC LATTÈS

Arbre généalogique : © Clémentine Mélois.
© Éditions Jean-Claude Lattès, 2017.
ISBN : 978-2-253-07417-5 – 1re publication LGF

Pour Melville.

« La blessure est l'endroit où la lumière entre en vous. »

Jalâl al-Dîn Rûmî

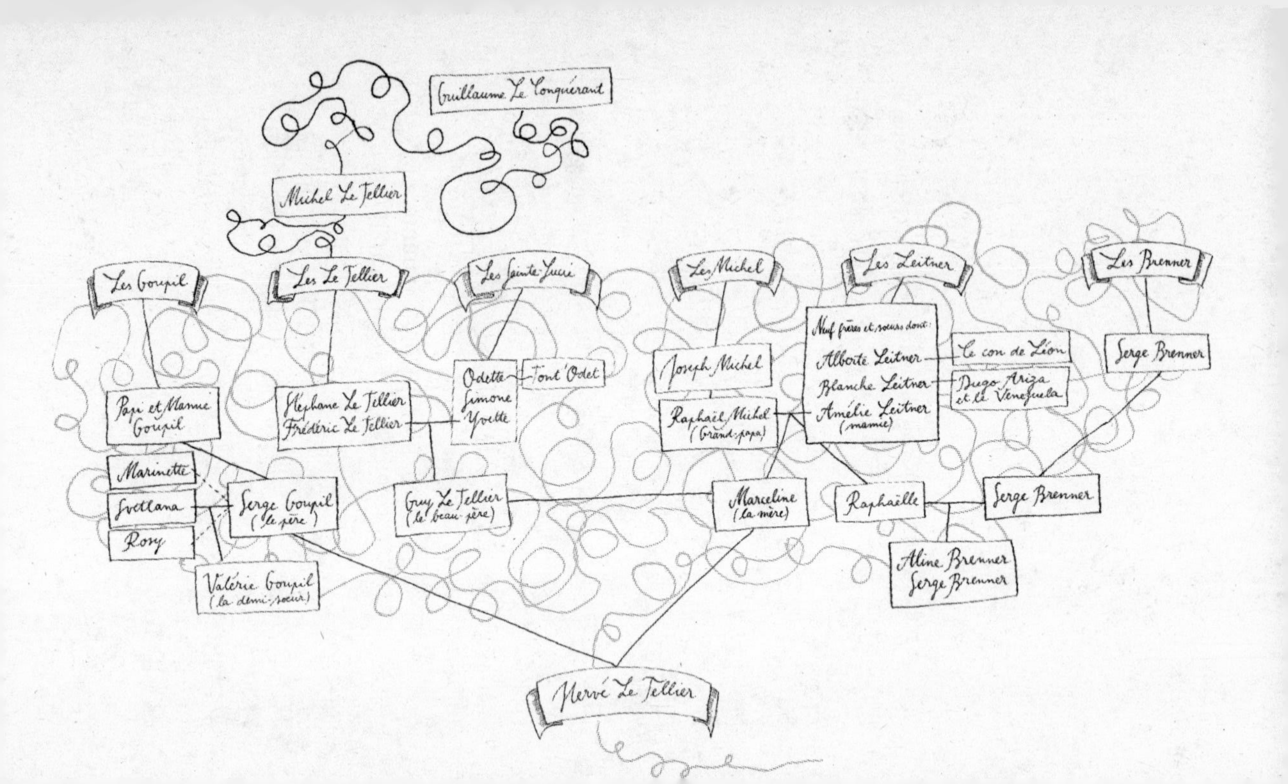
Guillaume Le Conquérant
Michel Le Tellier
Les Goupil
Les Le Tellier
Les Sainte-Lucie
Les Michel
Les Leitner
Les Brenner
Papi et Mamie Goupil
Stéphane Le Tellier
Frédéric Le Tellier
Odette
Simone
Yvette
Tont'Odet
Joseph Michel
Raphaël Michel (Grand-papa)
Neuf frères et sœurs dont :
Albertë Leitner
Blanche Leitner
Amélie Leitner (mamie)
Le con de Léon
Diego Ariza et le Venezuela
Serge Brenner
Marinette
Svetlana
Rosy
Serge Goupil (le père)
Guy Le Tellier (le beau-père)
Marceline (la mère)
Raphaëlle
Serge Brenner
Valérie Goupil (la demi-sœur)
Aline Brenner
Serge Brenner
Hervé Le Tellier

I

Dialectique du monstre

> « Écoute ton père, qui t'a donné la vie, et ne méprise pas ta mère devenue âgée. »
>
> Proverbes 23, 22

Il y aurait du scandale à ne pas avoir aimé ses parents. Du scandale à s'être posé la question de savoir s'il était ou non honteux de ne pas trouver en soi, malgré des efforts de jeunesse, un sentiment si commun, l'amour dit filial.

L'indifférence serait interdite aux enfants. Ils seraient à jamais prisonniers de l'amour qu'ils portent spontanément à leurs parents, que ces derniers soient bons ou méchants, intelligents ou idiots, en un mot aimables ou pas. Les éthologues donnent à ces manifestations d'affection incontrôlable et acquise le nom d'empreinte. Manquer d'amour filial n'est pas qu'une insulte à la décence, c'est un coup de canif dans le bel édifice des sciences cognitives.

J'avais douze ans. Il devait être onze heures du soir et je ne dormais pas encore, car c'était un de ces très rares soirs où mes parents étaient sortis dîner dehors. Resté seul, je devais lire, sans doute Isaac Asimov, ou Fredric Brown, ou Clifford D. Simak. Le téléphone sonna. Ma première pensée fut : c'est la gendarmerie, il y a eu un accident de voiture, mes parents sont morts. Je dis « mes parents » afin de simplifier (il faut toujours simplifier), car il s'agissait de ma mère et de mon beau-père.

Ce n'était pas la gendarmerie. C'était ma mère. Ils étaient en retard, elle voulait me rassurer.

J'ai raccroché.

Je venais de découvrir que je n'avais pas été inquiet. J'avais envisagé leur disparition sans angoisse ni tristesse. J'étais étonné d'avoir si vite accepté ma condition d'orphelin, effrayé aussi du petit pincement de déception quand j'avais reconnu la voix de ma mère.

C'est alors que j'ai su que j'étais un monstre.

*

J'ai appris la mort de Serge par un après-midi ensoleillé. Serge est mon père. On me conduisait en voiture vers le festival de Manosque. Je me souviens qu'il y avait au moins dans ce véhicule, en plus du chauffeur, le poète Jean-Pierre Verheggen et l'écrivain Jean-Claude Pirotte.

Le portable a sonné, le numéro affiché m'était inconnu et j'ai décroché. C'était ma sœur. Je dis « ma sœur », bien qu'il s'agisse en fait de ma demi-sœur, et même si je n'ai jamais eu la nette conscience d'avoir une demi-sœur. Elle a sept ou huit ans de moins que moi, mon adoption par mon beau-père fait que nous ne portons pas le même nom, et nous avons dû nous croiser une demi-douzaine de fois dans toute notre vie. J'avais toutefois un jour compris qu'elle m'avait fait endosser la cape héroïque et mythifiée du grand frère lointain, vêtement d'apparat imaginaire qui faisait de moi son frère sans que rien de mon côté ne parvînt à faire d'elle ma sœur. Mais j'avais renoncé à lui faire accepter cette réalité psychologique élémentaire et déceptive. Cela faisait plusieurs années que nous ne nous étions parlé.

— Notre père est mort, m'a-t-elle dit.

J'ai regardé par la vitre défiler le paysage autoroutier provençal sans trouver rien à répondre.

Nous partagions tous deux une espèce d'absence de père, puisque je ne l'ai jamais vraiment connu, qu'elle-même avait quitté la demeure du papa vers ses quinze ans pour se réfugier chez sa mère, et qu'elle le revit rarement par la suite. Cette case paternelle manquante dans nos deux vies était d'ailleurs la seule matière concrète de nos très rares conversations. La différence entre nous était que j'avais, moi, fini par me résigner à cette absence tandis qu'elle, qui avait passé son enfance avec lui, n'avait pu s'y résoudre et en souffrait. Ce matin-là, elle avait vraiment perdu notre absence de père.

— Notre père est mort, a-t-elle répété.

— Ah ? Il est mort quand ?

J'ai senti que dans la voiture, le silence s'était fait. C'est souvent l'effet du mot « mort ».

Elle m'expliqua brièvement qu'il était rentré à l'hôpital pour des difficultés respiratoires, que la situation y avait empiré et qu'il avait été emporté dans la nuit par une embolie.

Je m'enquis des détails pratiques, de la date et du lieu de l'enterrement. J'ai pensé lui présenter mes condoléances, mais cela manquait d'élégance. J'ai feint la tristesse une longue minute encore, et j'ai raccroché. Jean-Pierre Verheggen me regardait avec sollicitude.

Pour le rassurer, j'ai dit en souriant : « Ce n'est rien. Mon père est mort. »

Jean-Pierre a rigolé et c'est alors que j'ai su que j'étais un monstre.

*

J'ai appris la mort de mon beau-père alors que j'étais au Pen Festival, à New York, par un appel de l'hôpital Bichat. J'étais parti aux États-Unis alors qu'il était déjà depuis une semaine en soins intensifs. Le processus vital n'était néanmoins nullement engagé, et rester à Paris pour visiter un homme maintenu dans un coma artificiel et feindre de soutenir ma mère ne me semblait pas indispensable. J'appelais une fois par jour, je comprenais que peu à peu l'état de Guy se dégradait, les antibiotiques alternant avec les anti-inflammatoires dans une ronde plutôt inefficace, et, à la longue, létale. Je préférais ne pas être là. Il y aurait eu plus d'ignominie encore à simuler l'affection qu'il y en avait à laisser paraître mon indifférence à un personnel médical qui a tout vu et n'est plus dupe de rien.

Je n'ai jamais aimé mon beau-père, et je ne puis imaginer que cette absence de sentiment n'était pas réciproque. Il n'y avait pas eu, comme on dit, de rencontre.

J'avais un an et demi lorsqu'il avait épousé ma mère. La place de père était largement vacante, mais il ne s'empressa pas de la saisir, et d'ailleurs, je n'étais pas très disposé non plus à ce qu'il l'occupât. Finalement, le poste ne fut jamais pourvu. Certains liront avantageusement l'étude de Pedersen *et al.* (1979) sur l'influence déterminante du père pour le développement cognitif de l'enfant de sexe masculin. Aux autres, on expliquera que la figure paternelle trouva un autre chemin.

Guy et moi ne nous accordâmes jamais. Je n'ai pas de souvenir de tendresse, aucun de complicité, et je ne devais pas avoir beaucoup plus que l'âge de raison lorsque je décrétai que c'était un imbécile, jugement certes précoce que rien jamais pourtant ne vint invalider.

Je lâchai un jour une opinion personnelle à la maison. C'était par inadvertance car cela m'arrivait rarement, n'étant jamais satisfait des débats engendrés par l'affirmation de mes idées. J'avais onze ans, c'était

Mai 68, et j'avais qualifié – à l'emporte-pièce, il est vrai – le ministre de l'Intérieur de de Gaulle Michel Debré de « con ». La réponse de mon beau-père avait été : « S'il était si con, il ne serait pas là où il est. » J'accordai aussitôt à cette phrase le label de la stupidité servile, bien que spontanément la formule qui me traversa l'esprit fût : « Ce type est trop con », ce qui prouve que le mot « con » me venait facilement. Je décidai de ne pas perdre de temps dans un conflit stérile, chose qui, lorsqu'on va entrer dans l'adolescence, période propice aux affrontements dits de construction, est autant une preuve de sagesse que de complexe de supériorité.

Mon beau-père respectait toute forme d'autorité, hiérarchique, policière, médicale, et il obéissait d'ailleurs aussi à ma mère. Faible avec les forts, il était tout naturellement fort avec les faibles. Enseignant, il aimait humilier ses élèves, moquer l'un devant les autres. C'était sa façon d'être pédagogue.

Né fin 1931, Guy avait douze ans à la Libération de Paris, vingt-cinq quand les événements d'Algérie prirent de l'ampleur. Une génération chanceuse et pourtant bâtarde, à la jeunesse coincée entre l'Occupation et la guerre d'Algérie. Il était né trop tard pour collaborer, trop tôt pour torturer. Rien ne prouve qu'il eût fait l'un ou l'autre. Même pour des actes indignes, il faut un peu de trempe. Sans doute n'aurait-il pas su refuser de monter dans un mirador.

Ma mère et Guy formaient un cas rare de couple fusionnel sans amour. Jamais elle sans lui, jamais lui sans elle, jamais ensemble.

Que Guy mourût ne lui faisait ni chaud ni froid, hormis la perspective d'une vraie solitude au quotidien, dans laquelle elle ne se projetait pas encore. Il importait en revanche qu'on ne la soupçonnât pas d'indifférence. Maintenir les apparences était une activité sociale qui avait de tout temps fortement mobilisé son énergie. Aussi ma mère se rendait-elle tous les jours à l'hôpital, comme – répétait-elle – son devoir l'exigeait. Elle emmenait un sudoku, s'asseyait devant son mari plongé dans le coma, mais l'ennui s'installait bien vite. Elle y résistait un peu, puis elle ne pouvait s'empêcher de quêter auprès d'une infirmière ou d'un médecin de quoi légitimer son départ prochain. « Je vais devoir rentrer, disait-elle, ça ne sert à rien que je reste, n'est-ce pas ? » Forte d'un quitus moral, elle fuyait alors la chambre rapidement.

J'appris donc la mort de Guy quand j'étais à New York. Je réglai à distance les questions d'organisation. Puis je rentrai. Pour l'enterrement.

C'est alors que je découvris que ma mère était folle.

Entendons-nous bien.

J'ai toujours su que ma mère était folle mais ce n'est pas maintenant que j'en parlerai.

Elle avait perdu contact avec la réalité depuis longtemps, mais son mari gérait avec tant d'ordre les choses du quotidien qu'il avait réussi à masquer l'évidence. Avec sa disparition, la folie maternelle prit la forme du burlesque.

La morgue était presque déserte. Nous étions cinq, peut-être six.

Les hommes de la mort que sont ces messieurs des pompes funèbres ont leur vocabulaire. Ma mère a le sien, plus immédiat. Ils ne coïncident pas.

Alors que le corps avait été préparé, placé dans la soie du cercueil, l'un des hommes en noir se tourna vers ma mère et demanda, avec douceur :

— Madame, voulez-vous que nous vous le présentions ?

— Me le présenter ? s'indigna ma mère. Mais je le connais, c'est mon mari !

L'employé avait dû en entendre d'autres et il entra dans les détails du protocole. Il voulait savoir si nous souhaitions que le cercueil restât entrouvert afin que, selon une tradition plutôt morbide, les proches puissent entrevoir une dernière fois le visage de l'être aimé. Mais il le formula ainsi :

— Voulez-vous que nous fassions une exposition ?

— Une exposition de quoi ? demanda ma mère d'une voix inquiète.

Elle ajouta, et cette rationalité la rassura :

— Il avait beaucoup de cravates.

L'employé la regarda sans comprendre.

Puis vint le moment de visser le couvercle. De toute façon il n'y avait personne.

— Nous allons fermer, madame.

Ma mère jeta un œil à sa montre.

— Vous fermez entre midi et deux ? s'affola-t-elle.

J'ai ri. Et c'est alors que j'ai su que j'étais un monstre.

II

L'enterrement du beau-père

« Il y a des gens à qui la mort donne une existence. »
Louis Scutenaire, *Mes inscriptions*

On voudra bien me pardonner cet *incipit* de chapitre météorologique, mais c'était le mois de mai, et comme il faisait une température de 33 °C, le trottoir devant l'église parisienne se trouvait presque désert. On attendait le fourgon.

On pourrait arguer que bien des vieillards meurent seuls, lorsque leurs amis les ont un à un précédés dans la mort. Mais des amis, mes parents n'en avaient pas. Enfant, je ne trouvais pas surprenant que personne, hormis mes grands-parents ou des cousins, ne nous rendît jamais visite à la maison. Prendre le thé, goûter, dîner. Aux enfants, en l'absence d'éléments de comparaison, la folie peut sembler la règle : après tout, Romulus et Rémus ne s'étonnaient pas non plus d'avoir été élevés par une louve, Mowgli par un ours et Tarzan par des grands singes. Ce n'est que plus tard que j'ai pris conscience de l'étrangeté de ma normalité.

Au début de leur mariage, mon beau-père et ma mère louaient certes un tout petit appartement parisien, peu propice aux réceptions. Mais lorsque j'eus neuf ans, ils déménagèrent dans un appartement « atypique », comme disent les annonces, dont la grande terrasse arborée donnait sur les bruyants boulevards Barbès et Ornano. Il disposait d'une vue imprenable sur Montmartre et le Sacré-Cœur. Ce décor de carte postale aurait pu en faire un lieu de fête, bouleverser leur vie sociale. Rien ne changea.

Parfois – c'était très rare – mes parents étaient invités chez ce qu'on appellera des connaissances. Je n'ai jamais vu ma mère revenir de ces dîners autrement qu'insatisfaite, mécontente même. Elle répétait, agacée : « Et quand je pense qu'il va falloir rendre l'invitation. »

Ma mère n'invitait pas, elle « rendait » des invitations. Et cela l'« emmerdait ».

Donc, il n'y avait sur ce trottoir parisien ensoleillé aucun ami du défunt, et nous attendions le fourgon, avec la « famille proche », c'est-à-dire la fratrie de la mère de mon fils, ma tante, mes cousins et certains de leurs enfants. Ajoutons les jeunes visages adolescents des amis de mon fils qui avaient voulu l'accompagner. N'oublions pas enfin ces quelques personnes que l'on pourrait qualifier d'obligés : un vieux monsieur qui bricolait occasionnellement chez eux, le jardinier de la maison de campagne et sa femme, qui semblaient sincèrement peinés.

Pas un ici qui n'ait été invité, quelques années plus tôt, aux cinquante ans de mariage de mes parents. La fête des noces d'or avait consisté en un accablant périple en bateau-mouche sur la Seine, où l'on avait commandé trop de petits fours et trop de champagne, avec des convives qui n'avaient que bien peu à se dire, tous pris au piège quatre heures durant dans cette croisière entre le pont de l'Alma et le pont de l'Alma. J'y avais revécu une sorte de résumé parabolique de ma vie d'adolescent, cette sensation aiguë qu'il me faudrait une fois de plus, pour quitter le navire, me jeter à l'eau.

Une dame en noir, la cinquantaine fatiguée, s'approcha de ma mère pour lui présenter ses condoléances. Je ne la connaissais pas et ma mère me la présenta aussitôt :

— C'est Anna.

— Anja, corrigea la dame en noir. Anja Zewlakow.

Ma mère reprit :

— Oui, c'est ça. Anna fait le ménage chez moi. Et elle le fait très bien, d'ailleurs.

Sens incontestable du compliment. Après cette indélicatesse spontanée, ma mère s'éloigna, et je restai seul face à une dame gênée, qui baissait les yeux. Je la saluai, en mettant dans mon regard et mon geste autant de courtoisie et de respect que je pouvais en trouver en moi.

Le *turn-over* chez les femmes de ménage de ma mère était important. Elles démissionnaient rapidement, lasses d'être soupçonnées d'être des voleuses – ma mère laissait traîner sur les tables des liasses de gros billets afin de tenter leur honnêteté –, ou du ton sur lequel elle leur parlait. Madame Zewlakow tint jusqu'à la fin de l'année, établissant ainsi un record mondial de deux ans, que nul désormais ne lui ravira jamais.

Le fourgon funéraire arriva enfin et se gara devant le portail, en double file. Les hommes en costume noir fripé descendirent du corbillard, ouvrirent le hayon arrière et tirèrent le cercueil, le soulevant par ses poignées de cuivre afin de le mettre à l'épaule, avec un « ahan » discret.

Mais c'était une église parisienne : les voitures stationnaient, indifférentes aux interdictions pourtant clairement signalées, pare-choc contre pare-choc.

Le responsable des pompes funèbres sembla hésiter. Il avait repéré, entre une grosse berline allemande et une japonaise hybride, un passage étroit par lequel pouvait à la rigueur se glisser un homme mince. Il eut un geste du menton vers les employés. Ceux-ci se consultèrent du regard et jaugèrent la situation avec professionnalisme. Je compris aussitôt qu'ils jugeaient possible d'accomplir l'exploit : faire passer un cercueil de cent vingt kilos au bas mot entre les deux voitures, dans un équilibre précaire, en se plaçant en file indienne.

J'imaginai aussitôt l'accident. Le cercueil leur échappant forcément, il allait enfoncer les capots avec fracas, détruire les pare-brises, peut-être même s'ouvrir ? Le constat à l'amiable promettait de faire sourire dans les bureaux de la MAIF, assureur-militant : « Je suis le cercueil A. Vous êtes le véhicule B. »

Je fis part de mes vives inquiétudes au responsable. Il accepta de ne pas prendre de risques inconsidérés et les employés, le cercueil toujours à l'épaule, remontèrent alors la chaussée sur trente mètres jusqu'au bout de la rue et le passage clouté. Là, parvenus à la brasserie qui faisait l'angle avec l'avenue, ils pivotèrent. Les quidams qui prenaient le café en terrasse sous les parasols parurent déconcertés, inquiets. Certains clients, impressionnés par le passage de la mort à moins d'un mètre d'eux, reposèrent même leur tasse.

Le tout se déroula néanmoins dans la plus grande dignité.

Camus résumait *L'Étranger* d'une phrase : « Dans notre société, tout homme qui ne pleure pas à l'enterrement de sa mère risque d'être condamné à mort. » Si le Nobel dit vrai, ma tante Raphaëlle ne courait aucun danger. Elle pleurait. La sœur de ma mère a toujours pleuré aux enterrements. C'est affaire de tempérament. On aurait enterré un hamster de sa connaissance qu'elle eût non moins pleuré.

Ses sanglots ostensibles irritaient ma mère. Elle regardait sa sœur en haussant les épaules, sa sœur qui lui volait en quelque sorte sa peine. Soudain, elle se mit à rager et siffla entre ses dents :

— Tu ne crois pas qu'elle exagère, celle-là ? On croirait que c'est son mari qui est mort.

Une heure plus tard, sur le cahier de condoléances, ma tante devait écrire, avec sincérité mais aussi une certaine inconscience : « À mon beau-frère que j'aime. Raphaëlle. »

Elle ignorait alors comment ma mère allait interpréter la phrase. Mais n'anticipons pas.

III

Le concerto nº 2 de Rachmaninov

« Si je ris, c'est sans le faire exprès. »
Erik Satie, *La Journée du musicien*

Le syndrome de Marfan est une affection du tissu conjonctif. Elle frappe à peu près une personne sur cinq mille. Le gène dont la mutation provoque la maladie se trouve sur le chromosome 15, et cette mutation compte près de mille variantes. Ses symptômes sont un anévrisme de l'aorte, une forte myopie, et une croissance anormale des os. Les sujets affectés sont souvent de très grande taille, et les doigts de leurs mains sont longs et maigres.

L'acteur britannique Peter Mayhew, célèbre pour le rôle du wookie poilu Chewbacca dans *Star Wars*, en souffre. Abraham Lincoln en souffrait aussi, dit-on. Mais tel n'est pas notre propos.

Le compositeur et pianiste Serge Rachmaninov en était atteint, s'il faut en croire le *British Medical*

Journal de décembre 1986. La maladie expliquait en partie sa virtuosité, sa capacité à plaquer des accords très espacés. L'écart maximal des doigts d'un pianiste, du pouce à l'auriculaire, est souvent de vingt-deux centimètres. Il permet de jouer aisément des neuvièmes. L'empan de Rachmaninov dépassait trente centimètres. Son concerto pour piano n° 3 en ré mineur op. 30 comporte des onzièmes qu'il faut jouer d'une seule main, et sa réputation d'être l'œuvre la plus difficile au monde lui a valu d'être baptisé le « Rach 3 », comme on dit Mach 3 pour trois fois la vitesse du son.

Mais c'est son concerto pour piano n° 2 en do mineur op. 18, composé en 1901, qui a connu le plus grand succès. Un début en huit mesures, piano seul, une lente série d'accords allant crescendo jusqu'à ce que l'orchestre commence à jouer. La mélodie est devenue un air populaire, la musique de dizaines de films, dont un Lelouch, et des milliers de patineurs artistiques se sont cassé la figure pendant la deuxième partie en *adagio sostenuto*.

À jouer, le concerto n° 2 est à peine moins ardu que le Rach 3. Là aussi, des dixièmes à plaquer. Les trop petites mains s'épuisent à la tâche. On peut toutefois s'améliorer, le corps est docile : à force de travailler le répertoire, qui exige plus d'écarts à gauche, la plupart des pianistes voient cette main senestre gagner un centimètre d'empan. On peut également tricher, comme le font toutes ces pianistes virtuoses chinoises qui le jouent en arpégeant très vivement plutôt que de plaquer.

Au milieu de notre salon trônait un quart de queue noir ébène, un Schimmel. C'était moins un instrument qu'une encombrante décoration, sombre et laquée, qui occupait, mathématiquement, un vingtième au bas mot de la surface totale de l'appartement, pourcentage suffisant pour démontrer au rare visiteur la culture musicale qui nous habitait. Mais mon beau-père en jouait fort peu. Sauf, de temps à autre, ce satané concerto n° 2 de Rachmaninov. Pour tout dire, Guy ne jouait *que* le concerto n° 2 de Rachmaninov, pratiquant trop peu hélas pour maîtriser d'autres morceaux. Il n'était pas bien grand, ses mains étaient en proportion, et il arpégeait, c'est certain. Il avait dû d'ailleurs le jouer plutôt bien, car il lui restait des mesures fugaces et brillantes. Il le joua de moins en moins, jusqu'au moment où son plaisir fut noyé sous les fausses notes et où il se résigna à ne plus le jouer du tout.

Il continua néanmoins à l'écouter. Dans l'interprétation de Sviatoslav Richter, aux longues montées dramatiques, hypnotiques. Ou dans celle de Rafael Orozco, ample et généreuse, trop, même, selon certains. Voire celle de Vladimir Ashkenazy, formidable d'intensité, mais où le musicien semble parfois oublier qu'il existe un orchestre. Mais peu importe : l'ai-je dit ? mon beau-père aimait ce concerto, au point d'avoir confié à ma mère qu'il souhaiterait, devant l'imminence du grand départ, allongé sur son lit de mort, l'écouter une dernière fois.

Qu'aimerai-je, moi, entendre à l'ultime moment de ma vie ? À y réfléchir, peut-être pas une musique. La voix d'un ami, de mon fils, d'une femme aimée. Je ne sais pas. Je tendrai probablement l'oreille, pour un dernier son au contraire inattendu, un son fait de hasard et d'incongru, un son qui appartiendrait encore à la vie, le rire d'une infirmière dans la salle de garde, un coup de klaxon impatient dans la rue, ou le simple claquement de talons sur le carrelage. Peut-être y a-t-il encore un peu de bruit avant que les dernières cellules ne s'éteignent à jamais. Je prendrai ce qu'il y aura.

Je ne sais pas non plus quel dernier souvenir musical je voudrai laisser à mes proches, lors de la cérémonie dite des adieux. L'*Hallelujah* de Leonard Cohen me paraît décidément trop convenu, même interprété par Rufus Wainwright. J'aimerais – à un moment qui reste à déterminer – *Knockin' on Heaven's Door*, dans la version de Bob Dylan ou son duo avec Bruce Springsteen. Le *Peter Gunn Theme* des Blues Brothers, plutôt flamboyant, accompagnerait assez bien une incinération. Ce ne sont que des suggestions. À bien y songer, l'idéal serait que le compositeur de la musique de mon enterrement ne soit pas encore conçu.

Mon beau-père avait donc un jour évoqué comme musique d'embarquement pour l'au-delà ce concerto n° 2. C'est un 2 avril au soir qu'il entre à l'hôpital pour ce qui sera diagnostiqué comme une hémorragie intestinale. Le 4 au matin il est intubé, fatigué, mais conscient. Le corps médical cherche la cause et un traitement efficace, sans être encore inquiet sur les suites et réserve tout pronostic. Rien n'est plus simple que la logique hospitalière : à chaque jour suffit sa peine.

Dans l'après-midi, je rejoins ma mère à Bichat. Elle est assise à côté du lit de son mari, son livre de sudoku sur les genoux. Mon beau-père a les yeux fermés et un casque sur les oreilles.

Elle me dit aussitôt, et sa voix mêle le tragique de circonstance à la fierté du devoir accompli :

— Je lui ai fait écouter le concerto n° 2 de Rachmaninov.

Guy, s'il était conscient à ce moment-là, a dû penser que c'était un peu prématuré, voire une preuve d'impatience.

Mais sur le moyen terme, ma mère a fini par avoir eu raison.

IV

Grand-papa

> « Le présent serait plein de tous les avenirs si le passé n'y projetait déjà une histoire. »
>
> André Gide,
> *Les Nourritures terrestres*

Notre planète familiale gravitait autour d'un soleil : mon grand-père Raphaël, le père de ma mère. Son nom de famille était Michel. Raphaël Michel, donc. Raphaël : « Dieu guérit ». Michel : « qui est comme Dieu ». Symbolique lourde, mais nous parlions peu l'hébreu à la maison, et pour moi, c'était Grand-papa. Patriarche incontesté, seul socle solide de mon enfance : « Grand-papa, ce héros au sourire si doux » était mon alexandrin.

Raphaël était né au début du XXe siècle, en Moselle allemande. Son père, Joseph, était artisan, sa mère faisait des travaux de couture. J'ai connu cet arrière-grand-père, puisqu'il vécut presque cent ans, malgré une forte consommation de Niñas, minces cigares infects dont l'odeur avait imprégné tous ses vêtements. C'était un homme petit et sec, taciturne et buté. Mon instinct me dictait de le craindre et j'hésitais à l'approcher de peur de prendre une taloche, un mot aussi vieux que lui. Qu'il fût né deux ans après la Commune me fascinait. En 1914, l'homme était déjà trop âgé pour s'engager, mais s'il l'avait pu, il l'eût fait du côté du Kaiser, car son cœur battait de ce côté-là comme celui, malgré le mythe national, de bien des Alsaciens-Lorrains.

À son enterrement – j'avais treize ans –, j'appris de ma grand-mère que tant qu'il en avait eu la force il avait battu sa femme et malmené ses deux fils Raphaël et Émile. Elle me raconta aussi qu'en 1940, lorsqu'il avait su qu'il allait quitter sa maison picarde pour rejoindre son fils à Paris, il avait sans atermoiement abattu son chien et jeté sa dépouille sur le tas de fumier, qui ne s'appelait pas encore le compost. C'est cette dernière image qui me frappa le plus.

Raphaël ne trouva rien de mieux pour fuir cet homme brutal que de s'engager à dix-huit ans dans la Marine, peu après la guerre. C'est sur un croiseur qu'il apprit le métier de mécanicien et entreprit des études d'ingénieur. C'est aussi en mer qu'il perdit ses cheveux : à vingt ans, ce grand gaillard était chauve, mais son visage régulier au menton carré supportait bien la calvitie. Il quitta l'armée au milieu des années vingt pour retourner en Lorraine, désormais tout entière française, et il emménagea à Jœuf, un gros bourg où il trouva un emploi de réparateur pour le matériel roulant des mines. Si le saccage de la métallurgie continue aujourd'hui de vider la cité de ses habitants, dans les années trente, Jœuf vivait de la Forge et de ses Maîtres. Les patrons De Wendel y ont encore leur château et même leur église, construite au début du siècle dernier pour leurs ouvriers, des Français, mais surtout des Polonais et des Italiens.

C'est à Jœuf que Raphaël rencontra Amélie, une fille de modestes paysans alsaciens, les Leitner, cinquième enfant d'une fratrie de neuf. Il la courtisa, la conquit et l'épousa. Quelques mois après, Raphaëlle naissait.

La famille Leitner était pauvre, mais elle avait son conte de fées sud-américain : Blanche, l'aînée, infirmière côté français pendant la guerre de 14-18, avait soigné un certain Diego Ariza, un officier panaméen, dont elle était tombée amoureuse. Je reviendrai, lui avait-il promis. Des lettres qu'il lui écrivait, il apparaissait qu'il était rentré au Panamá, puis était allé à New York, enfin qu'il avait émigré à Maracaibo, au Venezuela, où il avait rapidement fait fortune dans l'exploitation pétrolière. À Jœuf, on se moquait un peu de Blanche et de son Panaméen, jusqu'à ce que ce dernier, fidèle à sa parole, revienne en 1920 lui demander sa main. Le couple s'offrit une noce grandiose, avec des centaines d'invités : le petit bourg fit la fête une semaine durant. Blanche partit vivre à Maracaibo une vie de reine et y faire trois enfants. Leur renommée locale n'était pas une fiction familiale : dans les années soixante, à l'émerveillement des cousins français, on pouvait écrire « Blanche Ariza-Leitner, Maracaibo, Venezuela » sans trop craindre que le courrier se perdît.

En quête de racines, les Ariza n'aimaient rien tant que traverser l'Atlantique pour visiter leurs lointains cousins Leitner, et surtout ma grand-mère Amélie, la sœur préférée de Blanche. Un matin, leur avion venait de se poser sur le tarmac de l'aéroport tout neuf de Roissy, et ils avaient appelé ma mère. Contre son gré, elle les avait invités tous les cinq à nous rejoindre à la campagne, où nous partions pour la journée. Elle espérait bien les avoir découragés, mais lorsque nous parvînmes devant la maison, ils étaient déjà là, à nous attendre, les bras chargés de cadeaux. Ils avaient simplement pris deux taxis, et les chauffeurs, dont les compteurs tournaient sans faiblir, déclinèrent l'invitation à déjeuner pour les attendre au routier, le temps qu'ils se décident enfin, à la nuit tombante, à rentrer vers Paris.

— Je me demande combien ça peut leur coûter, cette folie, ne cessait de répéter ma mère à ma grand-mère, qui officiait à la cuisine.

Mais l'argent était le cadet de leurs soucis : dès que le Concorde commença ses vols hebdomadaires Paris-Caracas, les cousins vénézuéliens vinrent plus régulièrement encore. Pour cadeau de mes vingt ans, ma mère m'apprit qu'ils aimeraient beaucoup que je leur rende visite, et qu'ils m'offraient même l'aller-retour en supersonique. Je déclinai.

— Tu es fou de refuser, dit ma mère. Tu ne pourras jamais te le payer, toi.

Ma mère se plaisait à répéter que les Leitner étaient analphabètes, et l'affirmer rendait plus glorieuse sa propre ascension. La vérité est que, nés alsaciens à l'époque du Reich, l'allemand leur était plus proche que le français. Ma très grosse grand-tante Alberte, toujours engoncée dans un fauteuil, et qui ne sentait pas trop bon, était « retraitée de la Chtomm », entreprise dont elle prononçait le nom avec un si fort accent que j'ai compris tardivement qu'elle parlait de l'Alsthom.

Certes, ma grand-mère lisait avec difficulté, parfois en suivant la ligne du doigt. Mais tous les matins elle achetait *France-Soir*, « un million d'exemplaires chaque jour », où elle faisait ses mots croisés, et tous les lundis *Détective*, hebdomadaire de faits divers aux titres insolites – ah, ces « Il drogue sa femme et la vend nue aux enchères »... –, dont je découvris plus tard qu'il avait été fondé avant-guerre par Gaston Gallimard et les frères Kessel, et que Gide, Simenon et Albert Londres y avaient alors pigé.

Amélie Leitner, « Mamie » pour moi et mes cousins, était une femme douce et effacée, d'un dévouement total à son mari, ses filles et ses petits-enfants. Mamie assurait le ménage, la vaisselle, le repassage, les courses, la cuisine, souvent elle m'emmenait à l'école et venait m'y chercher : elle n'a donc jamais travaillé. Pour commencer une telle journée, elle prenait son petit noir au bar du bistrot du coin, le

Repaire. Elle fumait aussi des Winston et buvait de la Valstar, cette bière blonde populaire disparue, que boivent les Groseille dans *La vie est un long fleuve tranquille*. Parfois, elle m'en servait un verre, en diluant l'alcool dans de la limonade Dumesnil.

Sans doute vivait-elle déjà cette même vie laborieuse et un peu routinière dans les années trente, lorsqu'elle élevait ses deux filles, Raphaëlle et Marceline. Les deux sœurs étaient nées avant la crise de 1929, et lorsque celle-ci frappa l'Europe de plein fouet, Raphaël trouva un étrange travail, qui l'éloigna un an durant de sa femme et de ses enfants : il devint l'un des huit mécaniciens de la grande expédition promotionnelle et scientifique de Citroën qui traversa toute l'Asie, la « Croisière jaune », en 1931. Quelques années plus tôt la marque avait organisé une « Croisière noire », en Afrique celle-là ; le politiquement correct restait à inventer. Raphaël quitta Beyrouth pour le golfe Persique en avril 1931 sur l'une des sept autochenilles Citroën. Elles devaient rallier un Pékin qui n'était pas encore Beijing, et où allait les rejoindre le philosophe Pierre Teilhard de Chardin. Mon grand-père conservait précieusement le beau livre-souvenir de cette année dans le désert de Gobi, le Xinjiang et les monts himalayens : les reproductions des gouaches du peintre officiel de l'expédition, Alexandre Iacovleff, ornaient les murs de son salon. Lorsqu'il revint, il s'était fait une réputation d'améliorateur de moteurs, et il ne tarda pas à être embauché chez Simca, constructeur automobile installé à Nanterre. Les Simca n'étaient alors rien d'autre que des clones de petites Fiat, dont la première Fiat 500, renommée Simca 5.

C'est ainsi que le couple Michel quitta la Lorraine pour s'installer à Paris, dans un deux-pièces minuscule du boulevard Ornano, dans le XVIIIe arrondissement. Lisant voici vingt ans le roman de Modiano *Dora Bruder*, j'ai été pris du soupçon qu'il s'agisse du même immeuble que celui où vivait son héroïne. J'ai brièvement craint d'avoir passé ma prime enfance dans un appartement volé à une famille juive. Le numéro de téléphone lui-même me rappelait quelque chose. ORN(ano)-49-20.

Mais ce n'était pas la même adresse. Dora Bruder habitait au 41, nous étions au 16. Et son téléphone, c'était ORN-48-05. Mais qu'est-ce que ça prouve ? Rien. Il y a eu tellement de Dora Bruder. Cette frayeur rétrospective dit beaucoup de l'estime où je tiens nos valeurs familiales et notre éthique en général. C'est une estime, disons, modérée.

En 1940, Raphaël trouva deux chambres de bonnes dans l'immeuble et fit venir ses parents dans la capitale : ils ne s'étaient jamais plu dans la maison qu'il leur avait achetée en Picardie, à une égale distance de lui à Paris et de son frère Émile à Péronne. Quelques années plus tard, il installa au sixième étage la sœur de sa femme – ma si grosse grand-tante Alberte – et son mari Léon, qu'il n'appelait en privé que « secondeléon », vocable que j'interprétai d'abord comme « seconde Léon » avant de comprendre qu'il s'agissait bien sûr de « ce con de Léon ».

La guerre prit fin. De manière plutôt injuste, la seule entreprise accusée de collaboration fut Renault, quand toute l'industrie automobile avait travaillé pour l'Allemagne, y compris l'américain Ford. Simca, société franco-italienne, participa aussi grandement à l'effort de guerre nazi, mais je ne sais rien de la participation de mon grand-père, car les réponses de ma mère furent toujours évasives.

À la fin des années quarante, Raphaël entra chez Panhard comme ingénieur. Ingénieur, l'ancien mécanicien l'était alors devenu, grâce à l'unique grande école proposant de la formation continue, les Arts et Métiers. Par réflexe de corps, il méprisait les polytechniciens, ces « X » qui, « pour faire de l'eau bouillante, font bouillir de l'eau, mais qui, s'il faut faire de l'eau tiède, font aussi bouillir de l'eau, afin de se ramener à un problème connu. Puis ils la laissent refroidir ».

Bel homme, conquérant, séduisant, il n'avait – de notoriété publique – cessé de tromper Amélie. Une aventure dut surpasser toutes les autres puisqu'il se décida à lui avouer qu'il avait rencontré une autre femme et que c'était « important ». Je ne sais rien de celle-ci, sinon que, selon ma mère, elle était « de dix ans plus jeune ». « De dix ans plus jeune » : chaque fois qu'elle m'en parla, ma mère n'employa jamais d'autre formule : ni « il avait dix ans de plus qu'elle », ni elle avait « dix ans de moins que lui », ou encore

« ils avaient dix ans de différence ». Non, les mots étaient ainsi figés, *dedizanplujeune*, et leur répétition hypnotique faisait écran à la réalité de cette femme qui n'aurait su se résumer à cela.

Raphaël voulait divorcer. Son épouse, dont il était tout l'horizon, fut dévastée. Mais cela encore n'était rien : Marceline, qui avait vingt ans, cessa à la fois de parler et de manger. Une grève de la vie. En urgence, on l'hospitalisa. À sa sortie de clinique, deux semaines plus tard, il ne fut plus question de séparation, et Raphaël resta avec Amélie. Il s'installa néanmoins quelque temps dans une double existence, se partageant entre deux maisons. C'était invivable, et l'autre femme, dedizanplujeune, finit par le quitter. Du moins est-ce la version officielle. Des indices, des allusions laissent penser qu'ils conservèrent des liens jusqu'à la fin.

Puis la vie reprit son cours boulevard Ornano. Raphaëlle « fréquentait », et même se fiança, ma mère poursuivait ses études. Sa folle réaction à la perspective de la séparation de ses parents avait nécessairement inquiété Raphaël. Mais il ne voulut pas prendre la mesure de sa fragilité mentale, car il se méfiait de tout ce qui ressemblait à un psychiatre. Il fut soulagé quand, quelques mois plus tard, elle rencontra l'homme qui devait devenir mon père, et tout à fait rassuré quand elle l'épousa, quelques mois après le mariage de l'aînée Raphaëlle. Ce dut être une grande fierté pour lui : ses deux gendres étaient de vrais « gadz'arts », ces diplômés des Arts et Métiers passés par la voie royale du concours d'entrée.

Le début des Trente Glorieuses coïncida avec son ascension sociale. C'est vers cette époque, à écouter ma mère, qu'il devint le « bras droit » de Jean Panhard, avec qui il déjeunait « tous les jours », et qui serait souvent venu dîner. Mais comment y croire ? Le nom de Raphaël Michel n'apparaît nulle part dans l'organigramme de l'équipe de direction d'alors. Ma mère me raconta aussi qu'il avait dessiné la PL17 et la Panhard CD, puis, transféré chez Citroën après le rachat de Panhard en 1965, participé à l'aventure de la DS, chose chronologiquement impossible. Là encore, l'orgueil d'une fille a beaucoup coloré la réalité. Quoi qu'il en soit, il avait d'évidence largement grimpé dans la hiérarchie de l'entreprise chez Panhard comme chez Citroën puisque sa voiture de fonction était toujours la plus belle des grosses cylindrées disponibles, dont une magnifique DS 21 sable métallisée : je lui dois une passion quelque peu inassumée pour les voitures et j'ai toujours chez moi un fauteuil en cuir de buffle qui est en réalité un siège avant de DS monté sur des tubulures d'acier soudées. Sans doute dirigeait-il une des divisions « moteurs » et sans doute aussi l'omniprésence du benzène dans l'atmosphère fut-elle responsable de la leucémie qui l'emporta.

Raphaël voulut rapprocher de lui ses filles et ses gendres : il institua des rites autour des anniversaires de chacun, des vacances d'été, de Noël. Ma mère ne rêvait de rien d'autre. Elle ne parvint d'ailleurs jamais à s'éloigner de ses parents, demeurant au plus à un jet de pierre, tandis que le vent du large poussait au loin Raphaëlle, qui prit vite ses distances.

Lorsque ma mère se sépara de mon père, elle entra une fois de plus en dépression. Mon grand-père l'accueillit chez lui quelque temps, afin d'éviter une nouvelle hospitalisation. Puis il organisa son départ pour l'Angleterre : en quelques semaines, il lui trouva un poste de professeur de français dans un collège de la banlieue sud de Londres, ainsi qu'un logement sur place, et il insista pour que je reste, moi, à Paris, entre lui et ma grand-mère, le temps qu'elle se rétablisse du « choc ». La proposition était extrême, mais il convenait, estimait-il, de me protéger. Il pensait que cet intermède anglais durerait quelques mois. Je restai chez mes grands-parents plus longtemps qu'il ne l'avait envisagé.

Ma mère revint. Elle était devenue madame Le Tellier. Raphaël, lui, était devenu « Grand-papa » : ma cousine venait de naître, il avait désormais trois petits-enfants et ce statut l'enchantait. Je ne sais comment cela se put, mais il devint même « Grand-papa » pour son nouveau gendre Guy, qui s'inscrivit ainsi dans un étrange rapport d'égalité dénominative avec moi, ce qui instituait aussi pour lui un acte de soumission consenti.

Peu après, Raphaël voulut déménager : il acheta sur plan un trois-pièces dans un immeuble en construction, au coin du boulevard Barbès et de la rue Ordener, et proposa aussitôt à ma mère et à Guy d'acquérir un appartement dans le même bâtiment. Elle s'empressa d'accepter. Les prix de l'immobilier parisien autorisaient encore à un couple d'enseignants de s'endetter sur quinze ans pour acheter. C'est ainsi que mes parents emménagèrent au huitième et dernier étage, et mes grands-parents au sixième ; quitte à vivre ensemble, le septième eût été le plus logique, mais un tiers avait été plus prompt à l'acquérir. Ma mère lui proposa aussitôt l'échange avec mes grands-parents mais il refusa sèchement ce marché de dupe : au sixième, le balcon du septième lui eût masqué le ciel et, désormais trois mètres plus bas, il eût perdu sa vue sur le Sacré-Cœur. Ce copropriétaire qui la séparait indûment de ses parents devint la bête noire de ma mère, et il endura le martyre durant les réunions du syndic.

Chez nous, au huitième, la cuisine était minuscule, mais nous ne nous en servions pas, puisqu'il n'y avait aucune salle à manger. Seulement un grand salon avec le piano, sans la moindre table, et deux chambres. Nous déjeunions, nous dînions chez Grand-papa et Mamie. J'étais le plus heureux de cette situation. Je passais tout mon temps chez mon grand-père, où se trouvaient mes jouets, mes jeux de construction et mes puzzles. C'est aussi là que je lus les grands albums cartonnés et illustrés « Nature » de la revue *Life*. Mon préféré était *Désert vivant*, plein à ras bord de crotales, de cactus et de gerboises. Lorsqu'il était temps de me coucher, je remontais les deux étages en pyjama et m'endormais aussitôt. C'était ma grand-mère, presque toujours, qui venait me réveiller. Rien dans cette anormalité ne me paraissait anormal.

Je dois à la vérité de dire que tout n'était pas honorable chez Grand-papa. J'ai préféré oublier son mépris des « Nord-Africains », de ces paysans devenus les « bras de la France » : trois mille à Panhard porte de Choisy, trois mille cinq cents quai de Javel chez Citroën. C'est bien chez nous que j'ai entendu le mot « crouille », cette civilité – puisque *khuya* signifie « mon frère » – devenue une insulte. Peu après sa mort, j'en reparlai à ma mère : « Il était de son époque », l'excusait-elle. Je n'étais pas d'accord.

Puis vint la leucémie. Elle s'empara de lui quand il eut atteint l'âge de la retraite et elle ne lui laissa que trois ans. Raphaël en parlait peu, ou en tout cas jamais devant moi. Il l'affronta du mieux qu'il put, en se préparant à mourir. Sur sa table de chevet, il y avait de moins en moins Balzac et Hugo, et de plus en plus Sénèque, Cicéron, Épicure, enfin la Bible. Mais quand on lui demanda s'il souhaitait un enterrement religieux, il haussa les épaules. La religion était son ultime curiosité. J'ai encore son exemplaire du Coran, annoté au crayon.

Mon ultime souvenir de mon grand-père n'est pas hospitalier. Il ne souhaitait pas que ses petits-enfants assistassent à sa lente agonie. C'est celui d'un matin à la campagne, où je l'avais surpris dans sa chambre en train de s'habiller : j'avais vu un vieil homme, le corps couvert d'escarres, voûté, harassé par un cancer dont la progression n'était en rien retardée par les transfusions. J'ai détourné les yeux, anéanti par la double découverte qu'il était mortel et au seuil de la mort, j'ai couru dans le jardin, jusqu'aux noisetiers de la haie, tout au fond, pour y pleurer, pleurer, sans pouvoir m'arrêter.

V

Marceline

« Tout cela, c'était notre jeunesse, le matin profond que nous ne retrouverons jamais plus. »

Patrick Modiano, *La Place de l'Étoile*

Ma mère est née une semaine exactement après Audrey Hepburn, et à quelque deux cent cinquante kilomètres de distance en prenant au plus court, puisque l'actrice américaine est née à Ixelles, en Belgique, et ma mère à Jœuf, en Lorraine. Le coup est passé tout près.

Je ne sais presque rien de ses jeunes années, et il ne m'est pas simple d'aller à la rencontre de la femme que fut ma mère. Je sais que ce fut une enfant timide, effacée, peureuse. Il faut se représenter une petite fille vivant dans l'ombre d'une grande sœur turbulente et audacieuse qu'elle jalouse profondément sans oser encore se le formuler. Jusque loin dans son adolescence, ses nuits sont agitées. Elle est sujette à d'affreux cauchemars, à des terreurs qui la réveillent, à des crises fréquentes de somnambulisme. Elle a quatorze ans lorsqu'on la retrouve sur le balcon, au milieu de la nuit, à murmurer des paroles incompréhensibles. À partir de ce jour, on verrouille la fenêtre jusqu'au matin.

Lorsque les Michel s'installent à Paris, elle et sa sœur sont inscrites au lycée Jules-Ferry. Les deux jeunes filles arrivent de Lorraine avec un accent rugueux qu'elles vont vite perdre. Peut-être elles prennent le métro à Marcadet-Poissonniers, elles changent à Pigalle. Mais plus vraisemblablement encore, elles vont à pied, et c'est à Raphaëlle que l'on confie sa petite sœur. La place de Clichy, où se trouve leur lycée, est la porte du Paris célinien, un quartier peuplé d'artisans et d'employés où les tramways déposent les banlieusards, un lieu d'embauche et de débauche.

En 1941, l'occupation allemande s'inscrit dans le paysage. Ma mère a douze ans, ma tante quatorze. En face du lycée Jules-Ferry, le grand café Wepler est réquisitionné : la *Soldatenheim*, la maison des soldats allemands, s'y installe. « *Speise und Aufenthaltsraüme* » – « repas et salons » –, annonce l'immense enseigne qui court sur vingt mètres : on ne peut pas la rater. Des dizaines de soldats entrent et sortent à tout instant, ils fument sur le trottoir, ils abordent les jeunes femmes, Paris est à eux. Ma tante s'en souvient. Ma mère, non.

En été et à l'automne 1942 commencent les rafles et les déportations des Juifs. C'est au collège que j'ai appris l'extermination, qu'on ne désignait pas dans les années soixante par ce mot, qu'on n'appelait pas encore la Shoah. On disait la déportation, les camps de concentration. C'était pourtant *Vernichtungslager*, camps d'anéantissement. À la maison, nul ne m'en avait jamais parlé. En 1969, j'avais douze ans moi aussi, j'étais en troisième. Le long règne des manuels d'histoire Malet-Isaac s'achevait doucement mais la Seconde Guerre mondiale n'était qu'au programme des terminales. Le ciné-club du lycée projetait le documentaire d'Alain Resnais, *Nuit et Brouillard*. Derrière moi, certains adolescents profitaient de l'obscurité pour s'embrasser.

Je découvrais tout. J'étais choqué, bouleversé. L'image des pelles des bulldozers charriant les cadavres se gravait à jamais. Si je devais dater mon engagement en politique, ce serait de ce jour-là. Je l'ignorais alors, mais en 1956, quand fut réalisé *Nuit et Brouillard*, la censure avait exigé que l'on masquât sur une photographie le képi si reconnaissable d'un gendarme français qui surveillait le camp de Pithiviers. Le garde des Sceaux, depuis février, s'appelait François Mitterrand. Il était si important que fût masquée la responsabilité de l'État français, l'ignominie du gouvernement Laval qui avait signé la déportation des enfants de moins de seize ans quand les nazis eux-mêmes ne l'exigeaient pas. J'ai su aussi plus tard que c'était Michel Bouquet qui lisait le texte de Jean Cayrol, et que le comédien n'avait pas voulu, en hommage aux victimes, voir son nom paraître au générique.

Au lycée Jules-Ferry, en dépit du courage de deux jeunes professeurs de lettres, Annette Maignan et Andrée Pauly-Santoni, qui cachèrent chez elles quelques enfants, vingt-quatre élèves juives furent déportées à Pithiviers ou à Drancy, puis à Auschwitz. Aucune n'en reviendra. Elles s'appelaient Mira Adler, Nicole Alexandre, Jacqueline Berschtein, Alexandra Cheykhode, Fortunée Choel, Paulette Cohen, Renée Cohen, Paulette Goldblatt, Thérèse Gradsztajn, Rosette Hayem, Marceline Kleiner, Janine Lubetzki, Estelle Moufflarge, Colette Navarro, Huguette Navarro, Ethel Orloff, Gilberte Rabinowitz, Rose Rosenkrantz, Françoise Roth, Jacqueline Rotszyld, Jacqueline Rozenbaum, Marguerite Margot Scapa, Rose-Claire Waissman, Olga Zimmermann.

Durant l'année scolaire 1941-1942, Paulette Goldblatt était dans la classe de Raphaëlle, en cinquième B1. Son père était tailleur-modéliste et elle habitait avec lui, au 72, boulevard Ornano. Elle fut déportée à Auschwitz le 14 septembre 1942 par le convoi n° 32. Paulette habitait à cent mètres des deux sœurs Michel, sur le même trottoir. Elles ne pouvaient pas ne pas faire le trajet ensemble, soir et matin. Mais ni Raphaëlle ni Marceline ne se souviennent d'elle.

Cette même année, Rose Rosenkrantz était dans la classe de ma mère, la sixième A3. Elle avait tout juste un mois de moins que la petite Marceline. Elle vivait seule avec sa mère Liba, une couturière, au 14 *bis* de la rue Lemoine, dans le XVIIe arrondissement ; son père était mort dans les années trente. Lors de la rafle du Vél d'Hiv, le 16 et 17 juillet 1942, elle fut arrêtée avec sa mère. Elles furent internées à Beaune-la-Rolande, transférées à Drancy, enfin déportées à Auschwitz par le convoi n° 76. Ma mère avait treize ans. Elle ne se souvient pas non plus de la petite Rose, qui ne fit jamais sa rentrée en cinquième.

Je n'ai pas d'explication pour cette amnésie. Après avoir vu *Nuit et Brouillard*, je suis rentré, frissonnant encore des images atroces, la voix métallique de Michel Bouquet résonnait. J'ai posé des questions, des dizaines. On ne savait pas, disait ma mère. J'étais trop jeune, ajoutait mon beau-père. Ma grand-mère était évasive. Mon grand-père était mort, et qui sait ce qu'il m'eût répondu.

Peut-être le crime était-il si total, si inconcevable, et ces deux enfants si impuissantes que le désir d'oubli accomplit ce long travail d'effacement. Peut-être aussi les parents craignaient-ils de terroriser les fillettes. Hélas, je soupçonne que chez les Michel, jamais la monstruosité qui se déroulait sous leurs yeux n'ait été un sujet de conversation. Et par la suite, j'entendis trop de fois ma mère énoncer de triviaux clichés sur « les Juifs », « riches », « qui s'entraident », pour ne pas conclure au mieux à l'indifférence. La guerre semble s'être résumée chez nous à quelques privations et bien des contrariétés.

Ma mère venait de fêter ses quinze ans quand Paris fut libéré par les chars de Leclerc. La capitale était en fête mais jamais elle n'aurait suivi sa sœur dans ses escapades nocturnes : elle se défiait autant des grands G.I.'s alliés entreprenants que des anciens occupants allemands. Le soir, elle rentrait sagement chez ses parents, dans ce petit appartement familial, et croisait sa grande sœur qui sortait. Marceline travaillait, se couchait tôt, repoussant malgré tout le moment du sommeil et des cauchemars. Sa sœur la réveillait en rentrant.

Sa scolarité fut médiocre. Marceline n'était ni sotte ni mauvaise élève, mais la tension des examens lui faisait perdre tous ses moyens. Elle obtint de justesse son baccalauréat, elle entra à la Sorbonne pour y apprendre l'anglais. Mais l'encadrement du lycée lui convenait mieux que la liberté de l'université : elle se perdait dans les couloirs, ne trouvait pas sa salle, ratant des cours, échouait dès qu'une échéance était cruciale. Bûcheuse, elle finit par passer sa licence, et commença à enseigner l'anglais, tout en achevant ses études.

Elle était réservée et craignait le monde entier. Et si son propre père n'avait pas insisté pour qu'elle accompagne sa sœur à un bal des gadz'arts, elle n'aurait jamais rencontré Serge, mon futur géniteur. Il n'était pas moins timide qu'elle. Cela créa des liens.

Marceline l'épousa vite et quitta le domicile paternel pour le conjugal, tout proche. Si proche que le couple dînait chez les parents de ma mère tous les soirs ou presque. Chaque week-end, Serge et Marceline les rejoignaient aussi à la campagne. Mon grand-père appréciait ce gendre, habile de ses mains, ingénieur, qui lui ressemblait tant. Lorsque la maladie d'Alzheimer lui fit oublier jusqu'à sa colère si ancienne contre Serge, ma mère ne cessa de le répéter : ces années, passées dans un cocon entre un père et un mari, furent « les plus belles de sa vie ».

Cela dura six ans. Ma mère tomba enceinte. Et je naquis.

*

« Regarde, c'est ton papa. » Lorsqu'un enfant naît, on lui présente son père. Sa mère, jamais. Pourquoi le ferait-on ? Il a été en elle, il est son prolongement naturel. Pourtant, rien n'est plus faux. Le grave quiproquo qui s'ensuit s'origine dans cet étrange *a priori*.

Je naquis, donc.

L'heureux événement tombait mal. J'ignore combien de temps dure l'amour, mais mon père avait rencontré une autre femme. Ma mère le démasqua, elle le chassa, puis son monde se brisa : de rage, elle détruisit chez elle jusqu'au moindre objet. Alors elle s'effondra.

Elle se réfugia chez ses parents, prostrée, refusant tout contact avec mon père. En dépression nerveuse, elle ne pouvait plus assurer ses cours au collège. Elle me laissait parfois seul, sans s'occuper de moi. Ou au contraire, elle me prenait dans ses bras, me berçait en chantonnant si longtemps que ma grand-mère devait m'arracher à elle. Elle oscillait entre accès de furie destructrice et sanglots ininterrompus, et soudain elle sombra dans le silence. Son père, inquiet, prit toutes les décisions pour elle. Il la convainquit de quitter la France, elle lui obéit. Ce devait être temporaire. Le temporaire dura, et mon premier mot fut évidemment « Mamie ».

VI

Ma sœur la pute

« Il nous faut obéir, ma sœur, à nos parents.
Un père a sur nos vœux une entière puissance. »
Molière, *Les Femmes savantes*

« Ma sœur est une pute », s'est mise à répéter ma mère, lorsque, le barrage des convenances cédant sous l'âge et la démence, elle cessa de feindre l'affection.

La pute était aussi ma marraine. Ma mère avoua ne jamais l'avoir aimée, peut-être parce que Raphaëlle, justement, était aimable.

C'était à cette première fille que son père avait généreusement légué son prénom. Turbulente et joyeuse, elle était restée sa préférée. Raphaëlle n'était l'aînée que d'un an et demi, mais le chiffre était trompeur. Il y avait près d'une décennie entre elles : ma tante avait été femme à treize ans, ma mère à vingt seulement. Le corps de la cadette avait longtemps refusé la puberté : Marceline avait regardé Raphaëlle grandir, s'élancer dans un monde d'adultes qui l'effrayait, et refusé de l'y rejoindre. Moins vive, moins gaie, moins jolie, elle n'aurait jamais pu y rivaliser.

À la Libération de Paris, en août 1944, Raphaëlle était donc une intrépide et piquante femme de dix-sept ans, et Marceline une fille impubère de quinze, plutôt renfermée. Dans une capitale en fête, Raphaëlle découvrait la vie et l'amour. Elle s'était trouvé une complice délurée en sa cousine Lucie, à peine plus âgée, et ensemble, elles couraient les rues pour se faire offrir des cigarettes par les soldats des forces alliées. Elles faisaient toutes les deux, comme disait ma grand-mère dans les rares moments où elle évoquait cette époque, « les quatre cents coups ».

Raphaëlle n'avait pas vingt ans lorsqu'elle rencontra un officier américain. Elle tomba aussitôt très amoureuse et non moins rapidement très enceinte. Hélas, confondu à l'annonce de cette grossesse, l'homme lui avoua qu'il était marié et qu'il avait d'ailleurs déjà deux enfants. Pour en convaincre la jeune femme en larmes, le militaire avait dû lui montrer des photographies de son mariage à Brooklyn et de ses deux garçons. « Tu penses bien… » me dira plus tard ma mère avec une joie mauvaise, sans qu'on pût savoir si elle sous-entendait qu'on ne pouvait guère s'attendre à autre chose d'un homme, ou à autre chose de sa sœur. Il fallut faire passer l'enfant, selon la formule d'alors. Lucie n'avait que vingt et un ans mais elle avait déjà connu une telle infortune, et c'est elle qui trouva la faiseuse d'anges, organisa l'avortement, elle aussi qui permit que la honte de ma tante soit moins grande, et sa rémission plus douce.

Mais la tristesse de Raphaëlle fut à n'en pas douter immense. Elle perdait un enfant, un amant, l'espoir d'une vie différente. « Ah ça, à l'idée de partir en Amérique, elle était heureuse… » répétera encore ma mère, furieuse qu'elle eût osé l'être. Sa sœur était libre, aventureuse et légère, autant de qualités qui lui semblaient des travers.

À la fin des années quarante, les trajectoires des deux filles finirent malgré tout par se rejoindre. Encouragées par leur père, elles se mirent à la chanson. Leur modèle était les Sœurs Étienne, un duo de chanteuses de swing à la gloire oubliée, qui avait débuté dans les cabarets de Montmartre. Avec l'orchestre de Raymond Legrand, et bien avant qu'Yves Montand ne l'enregistre à son tour, Odette et Louise Étienne avaient interprété « C'est si bon » :

C'est si bon
De partir n'importe où,
Bras dessus, bras dessous,
*En chantant des chansons**.

---

* « C'est si bon », musique d'Henri Betti, paroles d'André Hornez, Colombia, 1948.

Elles chantaient aussi « Plus je t'embrasse », adaptation française du joyeux ragtime du chanteur américain Ben Ryan, *Heart of my Heart*, qui datait de 1928 mais que savent encore jouer certains pianos mécaniques et qu'a repris Lio. Enfant, j'aurai entendu mille fois ma mère fredonner cette chanson, et encore aujourd'hui, je la connais par cœur : « Le temps qui passe ne peut rien y changer… »

Ce n'était pas un secret : Marceline aurait rêvé que sa sœur et elle deviennent les Sœurs Michel. Après tout, nées dans un village de Meurthe-et-Moselle, elles n'étaient pas plus provinciales que ces deux rivales rémoises. Mais voilà, Raphy « ne voulait pas travailler ». Elles ne se produisirent jamais dans aucune salle, et à quatre-vingts ans passés, la petite Marceline enrageait encore de ce destin brisé : « Tu comprends, me répétait-elle, Raphaëlle, ce qu'elle aurait voulu, c'est savoir chanter avant d'avoir appris. » Ma tante, plus pragmatique, préférait avouer que ni l'une ni l'autre n'étaient des sopranos. À écouter les Sœurs Étienne, chanter bien n'était pourtant pas l'important. Mais de toute façon deux duos de sœurs swingueuses, c'était trop pour le marché.

1950. L'aînée s'était sinon rangée, du moins assagie, et fréquentait Serge Brenner, un jeune ingénieur ; la cadette, devenue femme, étudiait l'anglais, et le Serge Goupil qu'elle avait rencontré était d'ailleurs un ami de Serge Brenner. Les deux hommes ne faisaient pas que partager un prénom et un diplôme, celui des Arts et Métiers de Paris : ils trouvèrent un premier emploi dans la même entreprise, une entreprise française d'engins de terrassement, même si le Serge de ma tante était commercial, et mon futur père rattaché à la recherche. La similitude allait plus loin : les parents de l'un habitaient rue Ordener, côté pair, les parents de l'autre, côté impair.

Étrangeté, Serge Brenner tenait son prénom de son père, Serge Brenner. Et lorsque Raphaëlle et lui eurent leur premier enfant, ils le baptisèrent Serge. Ce système dynastique était fort peu pratique : lorsque mon cousin, mon oncle et mon grand-oncle étaient réunis, on ne pouvait crier « Serge » sans installer une certaine confusion.

Serge Brenner (l'intermédiaire, donc) était plus grand, plus expansif, et sans doute plus dégourdi que Serge Goupil. Mon futur oncle fit en tout cas vite fortune : en à peine dix ans, ma tante et toute sa famille se retrouvèrent dans un immense appartement du XVIIe arrondissement de Paris, avec deux vastes salons, un bureau, une chambre d'amis, des couloirs larges comme des pièces. On pouvait y jouer à cache-cache, et une dame aidait au service, employée à plein temps.

La maladie de mon grand-père fut l'occasion pour ma mère de se lancer dans une course au dévouement dont, pour plus de sûreté, elle posa les règles. Elle insista pour le conduire à l'hôpital pour chaque transfusion. C'était souvent très tôt le matin et Raphaëlle, qui habitait plus loin et devait déposer ses enfants à l'école, partait avec handicap. Et lorsqu'elle se libérait pour l'emmener, la cadette se joignait à eux, ne supportant ni d'être supplantée dans l'abnégation ni de laisser son père seul avec Raphaëlle. Cette dernière finit par se décourager. Ma mère ne cessa jamais de le lui reprocher, tout en signalant l'exemplarité de son propre sacrifice. Cas remarquable de désintéressement intéressé.

À la mort de son père, Raphaëlle mit un terme aux vacances dans la maison picarde, mais elle commença à inviter sa mère, sa sœur, mon beau-père et moi à passer une ou deux semaines d'été en famille. C'était souvent dans une belle villa sur la Côte d'Azur, à Cannes, à Antibes, ou dans une maison du très *vintage* Port-Grimaud. Mon oncle nous emmenait faire du ski nautique sur son hors-bord, un Chris Craft dont le nom agressif me fascinait. Le neuf mètres portait le prénom de ma cousine, à peine transformé, le Lyna 1. Il y eut un Lyna 2, plus gros, et un Lyna 3, plus rapide. Je n'aimais guère ce sport où je devais ôter mes lunettes de grand myope pour affronter un monde flou et hostile, et je préférais rester sur le deck, à profiter du choc des vagues, des embruns et du rugissement des moteurs.

En 1967, le descendeur Jean Vuarnet lançait la station de ski d'Avoriaz. C'était une révolution : une station sans voiture, conçue par l'architecte Jacques Labro, accessible seulement par téléphérique, où l'on chaussait les skis au sortir des immeubles et où l'on circulait en traîneau à clochettes tiré par des rennes :

c'était un Noël permanent. Les rennes furent hélas peu à peu remplacés par des chevaux de labour, plus efficaces. Les bâtiments aux formes irrégulières, baptisés de noms de conifères, Sequoia, Mélèze, Sosna, voulaient se confondre avec la montagne. Très vite mon oncle y acheta un magnifique cinq-pièces en duplex. Il persuada mon beau-père et ma mère d'y investir. C'était un gros sacrifice financier pour un couple d'enseignants, mais ils décidèrent d'acquérir un studio, dont la location saisonnière couvrait presque les remboursements. Une bonne affaire. Nous y allions en hiver une semaine ou deux, dînions gaiement chaque soir en tablée chez mon oncle et ma tante avant de retourner dormir dans le studio.

Je n'ai compris que tardivement combien ces vacances passées dans un luxe qu'elle devait à sa sœur exaspéraient ma mère autant qu'elles l'humiliaient. Si elle restait discrète en famille, elle ne cessait une fois seule avec nous d'accuser son beau-frère de toucher des pots-de-vin, de trafiquer « dans des affaires louches », et – non sans contradiction – elle reprochait à son mari son honnêteté ou, pire encore, son « manque d'ambition », en un mot sa « connerie ». Mais on ne saurait à la fois enseigner l'anglais au collège et être dans l'import-export.

De la Raphaëlle de cette époque flamboyante, je garde le souvenir d'une belle femme conduisant trop vite son Austin Mini, qui passait son temps entre le shopping, son coiffeur et sa famille. Elle avait le vin gai, et comme son frigo accueillait toujours une bouteille de champagne à peine entamée, elle était souvent d'humeur joyeuse. « Je suis un peu pompette » était son mot.

Ma mère, elle, ne buvait jamais. Une goutte d'alcool et elle perdait tout contrôle sur elle-même, un fou rire la prenait et les digues lâchaient : elle pouvait dire n'importe quoi, formule qui dit qu'en ces moments on ne dit justement pas n'importe quoi. Le diable n'existe pas et c'est pourquoi il fait si peur lorsqu'il jaillit de la boîte.

Parfois, trop rarement, ma tante m'emmenait au cinéma. J'avais treize ans lorsqu'elle m'emmena voir *On est toujours trop bon avec les femmes*, le film de Michel Boisrond tiré du livre de Sally Mara, *alias* Raymond Queneau. Il y avait le formidable Jean-Pierre Marielle et la touchante Élisabeth Wiener, la musique était de Claude Bolling. Toute une époque, comme on dit dans *Les Tontons flingueurs*. Ma tante, à la sortie de la salle obscure, abasourdie par des répliques comme « Je vais t'épingler comme un papillon », répétait que ce film n'était pas de mon âge, qu'elle n'aurait jamais dû m'emmener le voir. Je ne voyais pas pourquoi.

Au début des années quatre-vingt, le couple orageux que formaient ma tante et mon oncle se brisa. Ma tante Raphaëlle, qui jusqu'à l'âge de cinquante ans n'avait jamais eu à travailler, ouvrit un commerce, une boutique de vêtements. Rapidement, elle se créa une clientèle. Ma mère se retrouva soudain à une place plus équilibrée, d'un strict point de vue économique.

Puis ma tante rencontra un autre homme, beau vieux garçon aux cheveux longs et gris, plus âgé mais non moins riche, un industriel du laitage très visiblement amoureux. Elle qui avait toujours rêvé de l'Amérique n'avait que peu quitté la France : il la fit voyager. De Miami, ils partirent en croisière dans le golfe du Mexique, parcourant d'escale en escale les côtes pauvres d'Amérique centrale. À son retour, lors d'un déjeuner chez elle, ma tante me prit à part. J'étais allé, l'année précédente, au Guatemala. Dans la cuisine, elle me parla avec émotion de l'immense marché de Merida, capitale du Yucatán, de l'inégalité choquante entre les touristes débarqués du paquebot et ces femmes en haillons qui tentaient de leur vendre des fruits et des colliers : « Les gens étaient si pauvres, tu ne peux pas imaginer. Enfin, si, tu peux imaginer. » Elle était révoltée, vraiment, par la violence de ce monde. Confuse, candide, elle répéta, me serrant les mains, « Je te comprends, je te comprends tellement », comme si mon engagement politique avait soudain fait sens pour elle. Désarçonné, le militant trotskiste quasi professionnel que j'étais à l'époque ne trouva rien à répondre.

Elle retourna dans la salle à manger, s'assit, acheva d'un trait son verre de champagne. C'était fini. Du peuple misérable, il ne fut plus question dans la conversation, sinon de façon anecdotique. Mais durant cet instant fugitif, plus que de pitié, son visage s'était coloré d'une rage sincère. L'autre avait soudain existé, et elle s'était vue jusqu'au cœur, elle avait ressenti de la honte, cette brûlure par laquelle commence la morale, et parfois le combat. À l'autre bout de la table, ma mère observait sa sœur avec un regard de poisson. Avait-elle un jour, elle aussi, ressenti de la honte ? Lui aurais-je posé la question qu'elle m'eût répondu en secouant la tête : « Mais de quoi ? »

Les années passèrent. Raphaëlle se sépara à nouveau. Elle ne voyagea plus, et, connaissant de nouveaux revers de fortune, se tourna vers sa sœur : Guy venait d'hériter. La fourmi enrichie eût pu, à cet instant, moquer la cigale déchue, mais la jouissance d'être en mesure de lui venir en aide était plus grande encore. Ma mère lui rendait service comme on rend la monnaie d'une pièce. Ma tante lui revendit des manteaux de fourrure, ma mère racheta aussi des ivoires qu'elle n'aimait pourtant pas, des vases chinois. La splendeur passée de Raphaëlle changeait de mains. Et entre les sœurs rivales, les tensions irrésolues d'hier semblaient s'estomper.

Mais à la mort de Guy, il ne s'écoula pas une semaine que ma mère bascula dans une démence dont la première manifestation fut une surprenante fiction : elle se persuada que sa sœur, toute sa vie, avait été la maîtresse de Guy. Et du jour au lendemain son mari devint soudain un « salaud », et sa sœur, décidément, une « pute ».

« Je la hais ! » hurlait-elle en remontant sa rue, prenant le monde entier à témoin. « Tu te rends compte, tu te rends compte, me répétait-elle, mais quelle bande de dégueulasses ! »

L'affaire était si invraisemblable que nul ne put entrer dans sa folie. Cette incrédulité générale redoublait sa rage.

Rien ne tenait.

Il y avait d'abord une simple question d'agenda. Un adultère un tant soit peu de qualité prend du temps. Or ma mère et Guy ne s'éloignaient guère l'un de l'autre. S'il sortait, c'était pour une heure, tout au plus. J'imagine que ma tante, femme avide de vie, aurait eu bien du mal à se contenter de si peu.

Mais surtout, pour un adultère, il vaut mieux être deux, et je ne parvenais pas à imaginer ce que Raphaëlle eût pu trouver à Guy, qui n'était décidément ni beau, ni drôle, ni intelligent, ni charmeur. L'examen des hommes qu'elle avait élus pour l'accompagner dans sa vie ne laissait aucune chance à l'hypothèse Guy.

Ma mère inventait chaque jour une fable nouvelle : mon cousin lui aurait « confirmé » cette liaison, puis c'était une « amie » dont elle avait oublié le nom mais qui les avait surpris ensemble, des années plus tôt, « dans l'arrière-boutique », ou même c'était sa sœur elle-même qui lui aurait « tout confessé ».

Elle se mit à scotcher dans son appartement des dizaines de notes, enveloppes, dépliants publicitaires. Elle y écrivait : « Je ne veux pas de Raphy LA PUTE à mon enterrement. JE LA MAUDIS ! » Les capitales étaient incluses. Par chance, ma mère ne savait pas twitter.

Elle me dit une fois toujours porter sur elle un couteau de cuisine. « Au cas où je croiserais Raphy. » Je fouillai son sac. C'était faux.

Un matin, me raconta ma cousine, les deux femmes s'étaient pourtant retrouvées nez à nez dans la rue. Devant les accusations de ma mère, ma tante avait secoué la tête d'incompréhension.

— Alors jure-moi, mais jure-moi, dit ma mère, que tu n'as jamais couché avec Guy.

— Je te le jure, dit ma tante.

— Jure-le sur la tombe de notre père, et je te croirai, insista ma mère.

— Je te le jure sur la tombe de notre père, dit ma tante.

Il y eut un long silence et ma mère lâcha :

— Je ne te crois pas.

Elle s'éloigna à pas vifs, hors d'elle, plantant sur le boulevard une Raphaëlle ébahie.

Ma mère fit ainsi néanmoins coup double. Elle n'eut jamais à se recueillir sur la tombe de son salaud de mari et trouva le meilleur des prétextes à ses yeux pour ne plus voir sa pute de sœur.

Mais toute vocation de victime exige un bourreau originel. Ce fut mon père.

VII

Genitor

> « Faute de renseignement plus précis, personne, à commencer par moi, ne savait ce que j'étais venu foutre sur terre. »
>
> Jean-Paul Sartre, *Les Mots*

La première scène de ma vie où mon père est présent m'a été racontée par ma mère : elle et lui sont dans la cuisine du petit deux-pièces de la rue Baudelique, près de la mairie du XVIIIe arrondissement. Mon père, comme émergeant d'un songe, dit soudain :

— J'aimerais tellement avoir un enfant.

— Mais… tu as un fils, il est là, dit ma mère en me désignant, bébé rose de six mois qui prend son biberon.

J'ignore encore aujourd'hui si l'affaire comporte un tant soit peu de vérité ou si ma mère a inventé de toutes pièces cette scène, me la répétant mille fois malgré tout dans le but sans fard de me détacher de mon père. Je penche pour la première hypothèse, même si ma mère a trop souvent utilisé les mêmes mots pour ne pas l'avoir quelque peu romancée.

Mon premier vrai souvenir de lui est un instantané : dans une petite salle à manger parisienne, dont les deux fenêtres donnent sur la très modianesque rue Ordener, une table couverte d'une nappe cirée occupe presque toute la pièce. Il y a les reliefs d'un dessert, les miettes d'une galette des rois. Je ne sais plus si on m'a laissé avoir la fève. Derrière cette table, adossé à un buffet haut encombré d'assiettes décoratives, un homme se tient debout : il regarde avec une circonspection inquiète un petit garçon de sept ou huit ans, qui lui non plus ne trouve pas sa place dans cet espace un peu suffoquant. C'est une rencontre obligée, un dimanche, chez mes grands-parents paternels, une espèce de *speed dating* raté entre un père et son fils. Il n'ose pas s'approcher de moi ce jour-là, et des rendez-vous suivants je n'ai aucun souvenir d'un geste de tendresse, jamais. À sa décharge, j'ai eu la sensation qu'il les retenait, qu'il avait laissé s'installer une distance trop grande pour pouvoir la parcourir dans ces quelques rares heures où nous nous croisions, à moins qu'un sentiment de « trahison » à l'égard de ma mère ne l'ait paralysé. Ce souvenir est le seul que je conserve de l'appartement de mes grands-parents paternels, où je suis bien peu allé en visite. Le lieu est désormais chargé de bien d'autres, plus douloureux, puisque par le miracle des reconversions urbaines, il est devenu le cabinet de mon dentiste. J'ai la rage dedans, diraient les lacaniens. Je n'en suis pas certain, pourtant.

Car mon père n'avait guère la fibre paternelle. À tout le moins, son expertise en la matière était limitée.

Mon géniteur n'avait que vingt-deux ans lorsqu'il rencontra ma mère, qui n'en avait que vingt. Elle était sa première, et lui son premier. Deux ans plus tard, ils étaient mariés, alors que ni l'un ni l'autre n'avaient fini leurs études.

Sept ans durant Serge et Marceline vécurent ensemble, dans leur petit deux-pièces de la rue Baudelique. Je naquis tardivement, au moment sans doute le moins opportun. Mon père venait de rencontrer une femme, Marinette, et elle était vraisemblablement déjà sa maîtresse au moment même où je fus conçu. Peut-être ma mère, pressentant l'infidélité, eut-elle le projet ainsi de retenir mon père ? Je sais peu de Marinette, sinon son prénom, et le fait, pour le moins cliché, qu'elle était sa secrétaire.

Ma mère devait avoir assez de soupçons pour fouiller avec régularité sa veste, à la recherche d'un indice, voire de la preuve, de sa liaison. Elle dénicha enfin ce qu'elle cherchait et un soir, au retour du travail, mon père découvrit ses valises sur le palier, et sur la porte un nouveau verrou qu'aucune de ses clés n'ouvrait. Mon grand-père avait fait intervenir un serrurier. Mon père dut trouver refuge chez ses parents, puis chez sa sœur, et le petit appartement resta vide quelques semaines, puisque ma mère et moi fûmes hébergés par Grand-papa.

Mon père appelait chaque jour, plusieurs fois, mais ma mère refusait de lui répondre, position d'une radicalité extrême pour une femme qui s'accommodait par ailleurs de tant de choses dans le monde. C'était ma grand-mère qui décrochait, et qui lui faisait comprendre, à voix basse et inquiète, qu'il ne fallait plus, pour un temps en tout cas, tenter de joindre Marceline. Elle souffrait tellement. Il accepta alors, sans déchirement exagéré, de disparaître de la vie de ma mère et de la mienne. Ce fut Grand-papa qui négocia ces termes, « pour mon bien ». Il le fit avec une autorité de patriarche que nul n'avait jamais osé lui contester, et non sans aplomb, puisqu'il n'était guère une autorité en matière de fidélité conjugale.

Ce n'est qu'en devenant père moi-même que je compris qu'à cette époque deux planètes errantes étaient entrées en collision : une éternelle victime ivre de vengeance, un homme soulagé de se voir affranchi de ses obligations de père.

J'ignore combien de mois, d'années, dura sa liaison avec Marinette. Je sais si peu de sa vie. Je ne lui ai connu que deux autres femmes : Svetlana, puis Rosy.

Mon père rencontra Svetlana en 1967, à l'occasion d'un voyage d'affaires à Prague. Dans ce pays du bloc soviétique aujourd'hui éclaté qu'était la Tchécoslovaquie, nul n'aurait envisagé de négocier dans cet anglais honni que pourtant chacun maîtrisait de chaque côté de la table. Svetlana était donc la jolie et omniprésente traductrice. Elle avait vingt-trois ans, lui quarante, elle avait les yeux bleus, lui un passeport de la même couleur : ils étaient faits pour s'entendre. Malgré son jeune âge elle avait aussi, outre cette envie pressante de franchir le rideau de fer, deux garçons, Marek et Radim : elle avait quitté un affreux mari qui, avait-elle avoué à Serge, la battait.

Fou amoureux, Serge la retrouva deux ou trois fois avant de l'épouser, lors d'un dernier voyage à Prague. De retour à Paris, il accomplit toutes les démarches. D'autant que Svetlana était enceinte, d'une fille, ma future demi-sœur. Pour pouvoir accoucher en France, elle le rejoignit rapidement avec ses deux enfants. Sa naturalisation en fut semble-t-il accélérée.

Hélas, la Svetlana désormais française sembla soudain bien moins éprise de Serge que la Svetlana tchèque, et très vite l'idylle tourna au pugilat. Quand Valérie naquit, le couple tanguait déjà quelque peu. Serge s'entendait mal avec les deux garçons, que je ne rencontrai qu'une fois, et qui me semblèrent butés, débordant d'une grande violence. Dans une lettre à ma mère datant de cette époque, il écrivait pourtant vouloir « les aimer comme ses propres enfants », ce qui, soit dit sans esprit malin, ne l'engageait que peu. Mais il n'eut pas l'occasion d'exprimer son tout nouveau sentiment paternel, car Svetlana se sépara de lui peu après, l'accusant de violences conjugales qu'il ne cessa de nier. Elle obtint du juge, très conciliant, que leur petite fille restât chez lui.

Elle avait depuis quelques années pour amant, comme Serge le devina plus tard, le notaire qui avait rédigé les termes mêmes de leur mariage. Ce dernier s'occupa avec plus de diligence encore de la procédure de divorce. Svetlana laissa mon père avec une fillette dont il ne savait trop que faire et une pension de plus à verser. Puis, abandonnant le notaire à son étude, elle embarqua avec ses deux garçons pour la Corse où, extravagance, elle ouvrit à Porto-Vecchio un restaurant thaïlandais. Elle s'y remaria, eut deux filles cette fois-ci, puis elle divorça de nouveau. Cette femme avait de l'énergie à revendre.

Je ne vis Serge qu'en de très rares occasions, qui ne coïncidaient ni avec Noël, ni avec mon anniversaire. Il fut invité pour ma communion solennelle, j'en suis certain, et je pense l'avoir croisé lors des quarante ans de ma mère, l'année suivante.

Vint l'année de mon baccalauréat, obtenu sans gloire. Je ne l'avais pas revu depuis quatre ans, et il m'invita à fêter mon succès dans un restaurant touristique de la place du Tertre. Son propre père, longtemps, avait été peintre du dimanche à Montmartre, et je possède encore quelques tableaux de ce grand-père Goupil, dont une jolie perspective de la rue des Saules et une nature morte à la chandelle, plutôt réussie. De ce déjeuner, je ne me souviens de rien, sinon d'avoir mangé sous le soleil un pavé au poivre, saignant, et aussi d'avoir contourné, deux heures durant, la question de la dénomination : l'appeler papa ? l'appeler simplement Serge ? Nous allions nous quitter quand un artiste à ciseaux se proposa de découper mon profil dans un carton. Serge accepta et je m'installai sur un tabouret, trop longtemps ; je voulais partir, que cette entrevue sans grand sens s'achevât au plus vite. Le portrait fut enfin fini. J'ai pensé que Serge voudrait le garder comme un souvenir de ce déjeuner avec son fils, mais non, il me l'offrit : c'était assez ressemblant. Nous nous quittâmes et je rentrai chez moi, à pied, poussé par la forte pente et un moins fort chagrin, avec dans ma main une espèce de réplique de moi-même noire et aplatie. Je voulus jeter le découpage, mais quelque chose en moi refusa de finir dans une poubelle. Je l'ai conservé.

Le 5 juillet 1974, le président Valéry Giscard d'Estaing fixait la majorité à dix-huit ans. Cette mesure, quelques mois plus tard, me rendait majeur : je quittai le domicile familial deux jours après mon anniversaire. Un ami m'hébergea, mais un rapide calcul démontrait que mes économies ne feraient pas long feu. Je me décidai à téléphoner à Serge. J'expliquai brièvement mon statut nouveau d'étudiant en licence de mathématiques sans un sou vaillant. Il écouta en silence.

Hélas, « ce n'était pas le moment », « cela tombait mal ».

Svetlana et lui divorçaient, dans les pires conditions pour lui. Et puis, il voyait mal pourquoi, même si j'étais parti, « mes parents » refusaient de m'entretenir. D'autant que, en abandonnant son patronyme pour celui de mon beau-père, j'avais décidé de « rompre symboliquement ma filiation ». J'ai regretté d'avoir appelé à l'aide, je m'en suis excusé, même. Je suis de la race de ceux que l'on bouscule dans la rue et qui disent « pardon ». Nous fûmes l'un comme l'autre soulagés d'écourter la conversation.

Les années passèrent. Je pensais le voir définitivement disparaître de mon existence lorsque je reçus un appel de lui, à la toute fin des années soixante-dix. La conversation débuta singulièrement. Il me parla d'abord de sa promotion récente au sein de sa nouvelle entreprise, puis mentionna sa rencontre avec Rosy, grande femme blonde et mince, qui était « mannequin ». Il s'émerveillait des circonstances : un accrochage automobile sans gravité, qui les avait amenés à échanger leurs numéros de téléphone (lui était en tort). Ils allaient se marier la semaine suivante, et je compris au détour d'une phrase que c'était sa future femme qui, en cette occasion nuptiale, aurait aimé que je fusse dans le décor. Hélas, lui répondis-je, « ce n'était pas le moment », « cela tombait mal ». Je ne tire aucune fierté de cette repartie, c'est la seule qui me vint.

J'acceptai pourtant l'invitation suivante. Je n'avais jamais rencontré Valérie, qui avait treize ans, et Sonia, ma compagne, m'accompagna. Elle étudiait les mathématiques comme moi, mais avec beaucoup plus d'étincelles, et devint des années plus tard, par un hasard objectif, l'assistante de Jacques Roubaud. Lors de notre retour à Paris, Sonia me reprocha d'avoir été trop ironique, elle estimait que j'avais donné le change, caché mon émotion. Je ne sais plus.

De cette journée, je me souviens surtout d'un long moment passé dans la salle de bains. Serge avait inventé un « magasin pour arbalète sous-marine fonctionnant par dépression », dont il avait déposé le brevet aux États-Unis (US 44966417 A), et il testait l'engin dans sa baignoire. Depuis qu'il avait été licencié, il occupait ses loisirs forcés. Le monde lui devait aussi un « dispositif de nivellement transversal de remorques en stationnement (en particulier des caravanes) » (brevet EP 0011029 A1) et un « écran anti-soleil réglable et isolant » (brevet EP 0031592 A1). Sans oublier ce « système d'occultation des relations paternelles » qu'il n'a pas songé à breveter.

Le temps s'écoula à nouveau. J'avais abandonné les mathématiques, j'étudiais le journalisme. Le téléphone sonna, et une voix féminine dit :

— Bonjour, Hervé, c'est ta sœur.

— Ma sœur ? Mais je n'ai pas de sœur.

Je n'avais pas marqué le moindre temps d'hésitation, et il y eut un long silence.

— Mais si, si, reprit la voix qui surmontait son désarroi. C'est Valérie, ta sœur.

Valérie avait désormais quinze ans, moi toujours huit de plus, et elle voulait inviter pour son anniversaire ce grand frère qu'elle n'avait vu qu'une fois. J'eus honte et je vins, par un dimanche pluvieux de novembre. Ce fut affreux : il y eut une heure de calme, et tout bascula dans ce qui devait être leur quotidien. Rosy disputait une jeune fille écorchée vive qu'elle traitait d'insolente, et Serge, si visiblement las de cohabiter avec cette adolescente qu'il trouvait « difficile », se montrait incapable de la moindre patience. Valérie était à bout, et elle pleura de rage et d'impuissance quand vint le moment du gâteau. Dix mois plus tard, elle s'enfuyait chez sa mère, qui ne désirait sans doute pas non plus trop s'encombrer d'elle. Mais au moins, en Corse, il y avait le maquis et il faisait beau.

Quelques années encore. À la demande de ma mère, pour mes trente ans, j'organisai chez moi une fête anniversaire « familiale » où elle insista également pour que j'invite Serge. Dès les premiers mots échangés entre eux deux, il fut clair qu'il s'agissait avant tout pour ma mère que Serge prît la mesure de ma réussite sociale, en déambulant dans ce grand appartement parisien que mes revenus de jeune rédacteur en chef permettaient de rembourser. Ma mère, en démontrant à Serge à quel point je m'étais fort bien passé de lui, savourait son triomphe. Elle but un demi-verre de vin et fut saisie par un de ses fous rires inextinguibles, qui la tint durant vingt bonnes minutes, au point que ses hoquets inquiétèrent son mari. Enfin, au moment du dessert, Serge fit un malaise vagal et dut s'allonger. Il me fallut appeler SOS-médecins. À tout point de vue, la soirée fut un succès.

Je n'eus plus aucune nouvelle de lui durant vingt ans. Je croisai toutefois ma demi-sœur une fois, à Porto-Vecchio où j'étais en vacances. Devenue aide-soignante à Ajaccio, elle était alors mariée à un boulanger-pâtissier, séparatiste convaincu, dont je ne saurais rien dire tant il fut taciturne. Nous dînâmes dans un restaurant typique et une tension relative, car, adossé au mur, il ne cessait de scruter la porte d'entrée comme s'il craignait l'irruption d'hommes armés.

Serge fut notre principal sujet de conversation. L'ayant beaucoup côtoyé, Valérie avait, d'évidence, bien plus à s'en plaindre que moi.

Je regrette souvent ces occasions ratées entre ma demi-sœur et moi. Nul n'échappe aisément au fantasme d'une famille, et un lien avec Valérie, fût-il distant et construit *ex nihilo*, était ce qui s'en serait le plus approché. Mais je goûte trop peu la complaisance des nœuds du sang, et je craignais aussi, je l'avoue, la Sainte Alliance des orphelins.

Vingt ans passèrent, donc. Ce fut Rosy qui m'appela. Elle voulait que je me rende aux quatre-vingts ans de Serge. Ce serait, disait-elle, une « surprise ». Je convainquis mon fils Melville, presque adolescent, de m'accompagner. Je voulais qu'il puisse mettre un visage sur ce grand-père si absent. Et ce pouvait bien, après tout, être sa seule et dernière occasion de rencontrer le quart de son patrimoine génétique. Valérie était là, avec ses enfants ; sa fille avait l'âge de mon fils, Melville passa une singulière mais agréable journée. Serge était entouré d'amis très proches, stupéfaits d'apprendre qu'il avait un fils et même un petit-fils. Quant à moi, je dois reconnaître que je fus heureux de le voir, d'autant qu'il était très en forme, me rassurant du coup quelque peu sur mon avenir médical.

Ce fut pourtant notre dernière fois. Il mourut deux ans plus tard. Mais les mortels ne peuvent s'empêcher de vivre dans la pensée magique, et, pour moi, son enterrement fut notre vraie dernière rencontre, la plus simple d'ailleurs.

Je m'y rendis, avec ma compagne, mon fils, ma mère et ma tante, et Guy. Ma demi-sœur pleurait, ses enfants lui tenaient la main, les yeux secs : ils avaient si peu vu leur grand-père. Svetlana n'était pas là.

Au cimetière, je me tenais un peu à part de la petite foule d'amis lorsque j'aperçus un vieil homme qui m'observait. Il fit un pas vers moi.

— Vous êtes le fils de Serge, n'est-ce pas ?

Je hochai la tête.

— Vous vous tenez comme lui, vous savez. La posture, n'est-ce pas ?

— Non, je ne sais pas. Je ne le connaissais pas bien.

— Quel dommage ! Mes condoléances en tout cas.

L'homme s'éloigna, une dame s'approcha de moi.

— Vous êtes bien le fils de Serge, n'est-ce pas ?

— Oui.

— Vous vous tenez très droit, exactement comme lui. Vous avez la même silhouette.

— Ah ? Je ne sais pas. On ne se voyait jamais.

— C'est si triste pour un père de ne pas voir son fils !

Je souris, quelque peu démuni. Une troisième personne venait vers moi. Pour couper court, je feignis de décrocher le portable et m'éloignai un peu. Je me demande si Serge tenait aussi son portable de la même façon.

J'avais en poche ce portrait découpé voici quarante ans, ma silhouette justement. Je comptais le jeter dans sa tombe, avec une rose blanche. Une nouvelle fois, je l'ai gardé.

VIII

Guy

« C'est un garçon sans importance collective, c'est tout juste un individu. »
Louis-Ferdinand Céline, *L'Église*

Je ne sais comment parler de Guy. Je l'ai en tout cas d'abord appelé « papa Guy », puis simplement « papa » – trois syllabes, c'était bien trop pour exprimer l'affection ou simplement convenir à un usage quotidien. « Papa » était non seulement pratique, mais légitime, le seul génétiquement attesté « papa Serge » s'étant peu à peu mis aux abonnés absents et ne pouvant plus guère prétendre au titre. Je n'ai pas souvenir d'avoir jamais argué, lors d'une dispute, que Guy « n'était pas mon père ». Cela m'aurait semblé d'autant plus injuste qu'après tout, d'un père aussi, j'aurais rejeté l'autorité.

J'ignore les circonstances de son apparition dans la vie de ma mère, et pour tout avouer, je n'ai jamais été curieux de les connaître. Les enfants, dit-on, questionnent souvent leurs parents. Dis, papa, comment as-tu rencontré maman ? Cela ne m'a jamais intéressé. Peut-être cette indifférence n'a-t-elle été que ma manière de résister. Puisque mon géniteur Goupil s'était volontairement occulté et que je n'appartiendrais jamais vraiment à l'aristocratique dynastie Le Tellier, me rêver une genèse n'aurait su constituer l'embryon d'une solution.

Fils unique, dernier rejeton d'une branche aristocratique déchue, choyé et adulé par sa mère, il avait raté avec constance ses études, et n'avait aucun diplôme lorsqu'il avait rencontré ma mère à peine divorcée. Comment il parvint à la séduire reste un mystère pour moi. Sans doute profita-t-il d'une fenêtre de tir favorable, alors que la douleur de la séparation laissait place chez elle au désir de revanche, sur Serge à coup sûr, et sur tous les hommes peut-être bien. Cette nouvelle union était sa première manière de vengeance.

Une chose est certaine : ma mère prit Guy en main. En Angleterre, où il la rejoignit, il perfectionna un anglais très perfectible, puis elle le poussa à reprendre des études. L'ancien élève médiocre passa non sans peine une licence et devint professeur d'anglais, d'abord en collège. Son anglais, accent et vocabulaire, tendit à s'ossifier durant ces années d'enseignement, mais de rapport d'inspection favorable en passage à l'ancienneté, il accéda peu à peu au rang de professeur de lycée.

Ma mère avait sur lui une autorité absolue. Il craignait visiblement ses accès de fureur aussi terrifiants qu'imprévisibles, et il avait abdiqué toute forme de résistance. Elle prenait toutes les décisions, et son emprise sur lui était telle que c'était elle qui rédigeait les lettres qu'il envoyait à sa propre famille. Il n'avait plus qu'à recopier les brouillons. À la fin du courrier, ma mère ajoutait même « Guy », afin qu'il n'oubliât pas de signer.

L'autorité. Jamais Guy ne la contestait. Son quotidien était un empilement de devoirs et de soumissions jamais remis en cause, et même jamais questionnés. Il avait été scout, très longtemps, un univers simple où le monde était tel qu'il était. *Scout*, disait un manuel de 1937, pour *Servir, Croire, Obéir à la loi, Unir tous les garçons, Travailler dur*. Un vrai programme. À mes « Pourquoi ? », trop nombreux, il préférait répondre un « C'est comme ça » servile plutôt qu'un « Je ne sais pas » qui eût au moins ouvert sur la quête d'une réponse.

Si le monde se divise en deux – ceux pour qui la Terre tourne autour du Soleil et les autres, ceux qui aiment la musique dodécaphonique et les autres, etc. –, dichotomie certes simpliste, je suis de ceux qui pensent que les parents ont des devoirs envers leurs enfants, et Guy était de ceux qui pensent au contraire que ce sont les enfants qui en ont envers leurs parents. L'un de ces devoirs était de ne jamais porter le moindre jugement sur eux. J'étais, de ce point de vue, un mauvais sujet.

Si je critiquais ma mère, il s'emportait aussitôt et s'écriait, indigné :

— Mais comment oses-tu parler ainsi de ta mère ?

— Et si j'étais le fils de Hitler, je devrais aussi me taire ? pouvait être ma réponse.

J'avoue qu'ayant toujours aimé pousser un raisonnement à l'extrême pour éprouver sa validité, je franchissais assez vite le point Godwin, cette *reductio ad hitlerum* qui permet de répliquer aux tenants des campagnes antitabac : « Ah, alors comme ça, vous êtes d'accord avec Hitler ? »

— Tu compares ta mère à Hitler ? s'indignait alors mon beau-père, réaction que j'avais prévue, et donc désirée.

J'aurais de loin préféré qu'il me répliquât :

— Ne dis pas de mal du Führer, mon fils.

Mais l'ironie n'était pas son fort, et son courroux n'avait rien de l'antifascisme réfléchi. Il endossait seulement l'idée commune aujourd'hui que Hitler personnifie le mal.

Cette soumission à la pensée dominante avait son pendant, une violence à peine retenue, qu'enfant je pressentais et craignais. C'était un homme d'ordre, incapable de bousculer des habitudes, incapable même, confronté à son erreur, de changer d'opinion. Il est très difficile d'arrêter quelqu'un d'immobile. Le mot psychorigide aurait pu être inventé pour lui.

Son quotidien était rythmé par des rituels, immuables.

Chaque matin, Guy se levait très tôt, en silence, pour faire de la gymnastique durant vingt minutes précisément. Cette discipline de fer ne lui avait pas donné un corps d'athlète. Ses épaules étaient tombantes malgré les pompes, ses jambes demeuraient maigres malgré les battements, et son torse s'était épaissi au lieu de s'élargir. Puis il se douchait, enfin se rasait. Le rasage durait dix minutes : il portait le bouc IIIe République, impeccablement soigné. L'instrument qu'il utilisait était un rasoir de sûreté à lame interchangeable à double tranchant, qui datait de son adolescence, un concept inventé en 1895 par King Camp Gillette, et que Perec aurait pu inclure dans son *Je me souviens*, tant il était déjà passé de mode dans les années soixante-dix. Vint le jour où le droguiste l'avertit que la fabrication des lames risquait de s'arrêter. Guy en commanda pour un siècle de poils.

Plus tard, comme je dressais l'inventaire de ses bizarreries, je compris qu'il était submergé par ce que la psychiatrie appelle les troubles obsessionnels compulsifs, les tocs.

Guy, ainsi, portait la cravate. *A priori* – ceci posé pour rassurer tout lecteur cravaté –, on n'en saurait rien déduire. D'autant que c'était une cravate simple en soie, passe-partout, ni *slim*, trop décontractée, ni en tricot, trop risquée car il n'eût su avec quoi la porter. Elle était presque toujours unie, dans les bleus profonds, mais il arrivait qu'une très fine rayure l'égayât. Je lui avais offert des cravates d'autres coloris, ou aux motifs fantaisie, en vain. Elles avaient échoué au fond d'un tiroir, au mieux. Les autres, une cinquantaine, étaient suspendues à une longue double tringle métallique dans son placard, et j'aurais été bien incapable de les distinguer entre elles.

Son nœud de prédilection était un nœud simple. Ce n'était ni le Windsor qui accompagne dans son ampleur le col italien, ni le demi-Windsor inventé pour les cravates fines, ni l'élégant nœud croisé Christensen, qui s'accommode bien mal d'une soie épaisse, sans mentionner l'Onassis, qui permet de sortir du lot en soirée, mais quelle soirée ? Ne rêvons pas. Mon beau-père pouvait, à la limite, nouer un Prince-Albert, en doublant le passage, mais c'était déjà pour lui une folle excentricité.

Il était trop court de buste et pas assez fort de col, et il choisissait ses cravates trop longues. Il avait beau en coincer l'extrémité dans le pantalon, elle finissait toujours par s'échapper, pour flotter de manière incontrôlée sur la boucle de ceinture.

J'ignore d'où lui venait son goût pour cette bande d'étoffe décorative. Enseigner l'anglais dans le secondaire n'exigeait guère qu'il en portât une. J'imagine qu'inconsciemment il s'agissait pour lui d'établir avec ses élèves une ligne Maginot vestimentaire infranchissable. À moins que la traduction anglaise, *tie*, qui signifie aussi « lien », « attache », ne soit une clé d'analyse. Quoi qu'il en soit, une fois rentré chez nous il ne la retirait pas, ne desserrait même pas le col. Longtemps je mis cela sur le compte de la fatigue. Arriva l'âge de la retraite. Il ne l'abandonna pas. Il nouait son nœud tous les matins, par tous temps, en toutes circonstances. Il la portait indifféremment sous une veste, sous un pull, un blouson, un anorak, tout cela convergeant pour lui conférer l'allure d'un vigile d'une société de gardiennage. Aux sports d'hiver – ses mauvais genoux l'empêchaient de skier mais il y emmenait parfois mon fils –, il portait la cravate jusqu'au bas des pistes de ski, et il pouvait même manger une fondue, cravaté, dans les restaurants d'altitude. J'ai la photo. L'ôter pour dormir ou se baigner devait être un déchirement.

Son conformisme était si extrême qu'il confinait à l'originalité.

Autre point : Guy se hâtait lentement.

Festina lente, disent certes les Anciens, et les Médicis en avaient fait leur devise. Mais sa lenteur exaspérait. Je n'en prenais conscience qu'en ces moments où elle s'opposait à mon impatience d'enfant, et ces moments étaient très nombreux. Le départ en vacances était l'un d'eux. Le pilote d'avion qui checke chaque instrument du cockpit peut en prendre de la graine : Guy vérifiait tout deux fois au moins, de la fermeture des fenêtres à la coupure du gaz, de l'extinction du compteur au double tour de clés. Parfois, nous étions enfin assis dans la voiture qu'il remontait contrôler une dernière fois que la porte était bien close, et cela durait si longtemps que je soupçonne qu'il en profitait pour vérifier à nouveau les fenêtres, le gaz, le compteur, etc.

Venait le moment de charger les valises. Un coffre de voiture est en première approximation un parallélépipède, et celui de l'Ami 6 break dont mes parents firent l'acquisition en 1965, peu après sa sortie, ne dérogeait pas à la règle. Le nombre des valises à caler se comptait sur les doigts d'une main, le chargement d'un break ne requiert aucun talent particulier, mais cela pouvait lui prendre une demi-heure. Son instituteur, à la maternelle, lorsqu'il s'agissait de bien ranger les cubes et les cylindres dans les trous appropriés, a souvent dû lui dire avec un brin de lassitude dans la voix lorsque tombait la nuit : « C'est très bien, Guy. Mais tu finiras demain. »

Nous démarrions alors, mais seulement après que le siège eut été réglé au millimètre, et les rétroviseurs repositionnés. Sortir en créneau de sa place lui prenait plus de temps qu'il en eût fallu à quiconque pour y entrer. Au premier feu tricolore, il ralentissait malgré le vert pour éviter de passer à l'orange. Et lorsque le feu quittait le rouge, il n'arriva jamais que la voiture qui nous suivait ne klaxonnât pas au moins une fois.

Obsession phobique classique, Guy nettoyait également sans cesse. Il ne cessait de passer l'éponge, de briquer, de frotter. La cuisine brillait comme au premier jour de son installation. Adolescent, j'ai fini par considérer ce dernier trouble du comportement avec détachement, voire par en faire une espèce de jeu. Je déposais parfois une miette de pain sur le marbre poli du plan de travail afin de mesurer son temps de survie. Quelques secondes à peine, sitôt qu'elle était repérée. Ce fut, un temps, une distraction.

Il y avait aussi les médicaments. Chacun dispose d'une armoire à pharmacie ; Guy, lui, disposait d'une armoire *pour* la pharmacie. Question d'échelle. Je ne nie pas qu'il devait être cardiaque, mais son hypocondrie forçait le respect, au point que je pense parfois que ses triple pontage et pacemaker obéissaient surtout au principe de précaution. Il soignait un cholestérol insignifiant, un diabète sans danger, une tachycardie qui s'était manifestée voici dix ans, et se gavait d'antibiotiques au moindre coryza. Les gélules et comprimés s'alignaient au début et à la fin de chaque repas, et le plus beau cadeau que je lui fis jamais fut un pilulier. Lorsque à soixante ans il devint riche, il put assouvir sa passion pour les rendez-vous médicaux. Un jour qu'un problème d'essoufflement m'inquiétait, je pris rendez-vous sur ses conseils avec son cardiologue, un « ponte ». On aurait pu tenir un bal dans sa salle d'attente où j'étais seul, et je crois bien qu'au mur ce truc était un Bram Van Velde. Le médecin m'examina, fit un électrocardiogramme, conclut à un peu de stress et me conseilla de marcher plus. Il me demanda de saluer mon beau-père, et de lui rappeler le rendez-vous du vendredi, puisqu'ils se voyaient deux fois par mois. Alors il m'annonça ses honoraires : cinq jours de Smic. Je masquai ma stupéfaction avec dignité et le réglai. Il voulait me revoir pour d'autres examens. Je le remerciai de sa sollicitude, mais je le rappellerais. Je suis à ce jour encore vivant.

Mais je ne veux pas accabler Guy. Il était ainsi, c'est tout.

*

Je corrige : s'il était ainsi, il ne l'avait pas toujours été. Son enfance avait été joyeuse, son adolescence turbulente. Il aimait encore évoquer ses années de cancre au très bourgeois lycée Janson-de-Sailly, ses souvenirs de monômes et de chahuts, même si la pire de ses potacheries ne dépassait pas le tirage de sonnettes. Il racontait même, contre toute vraisemblance, avoir été brièvement « étudiant socialiste ». Il avait aussi été pion au lycée Claude-Bernard dans les années cinquante, et je découvris, lisant la biographie de Georges Perec, que mon futur beau-père y avait nécessairement surveillé le futur auteur et membre de l'Oulipo. Mais le nom de Georges Perec ne lui disait rien, pas plus comme élève que comme écrivain.

Le hasard, au cours des dernières années, l'avait fait retrouver un camarade du lycée Janson perdu de vue, André Val. André était long, mince, sa voix était grave et bizarrement chantante. Il avait épousé une femme très catholique et très réactionnaire, dont seule la timidité épargnait les convives de sa sottise. Guy et André se voyaient peu, mais on percevait chaque fois dans le ton d'André, dominateur et souvent ironique, qu'il avait été avant tout un garçon plus grand et plus fort qui, l'ayant autrefois tourmenté, retrouvait spontanément cet emploi de tortionnaire. Il prenait plaisir à lui rappeler les nombreuses vexations d'hier, en inventait de nouvelles, plus adaptées à l'âge mûr, tandis que Guy se soumettait. Que mon beau-père, en parfaite illustration du syndrome de Stockholm, pût apprécier sa compagnie m'était douloureux.

Un jour qu'André avait mené la conversation sur le terrain du sexe, il lança à Guy, qui s'était enhardi à l'y suivre :

— Ne me dis pas que tu bandes encore ! Marceline, on veut des preuves. Des preuves !

Guy n'avait pas su trouver la réplique – quand un délicat « Demande donc à ta femme, eh, Ducon » eût suffi. Et ma mère avait ri, débordée d'embarras, avant d'être submergée par un fou rire plus embarrassant encore.

Mais après tout Guy, dès son premier rendez-vous avec ma mère, avait déjà subi une mortification, celle-ci chocolatière. Il lui avait offert une boîte de pralinés fourrés en forme de cœur. La boîte aussi avait une forme de cœur. C'était bien trop de sentiments : elle avait trouvé cela « totalement ridicule », les avait jetés par terre, enfin piétinés. « Et puis, voici mon cœur qui ne bat que pour vous », écrivait Verlaine. Ma mère le déchira avec ses deux pieds blancs.

Je ne saurais imaginer le Guy d'avant ma mère. Quelque chose en tout cas s'était éteint. Chamfort dit qu'il vaut mieux être moins et être ce qu'on est. J'ai souvent pensé que Guy n'avait ni voulu être plus, ni pu être lui. Ce n'était pas un échec. Aucune ambition ne l'animait, pas même celle de vivre.

Il y eut nécessairement entre eux des années de bonheur, voire, osons le mot, d'amour, mais je n'en ai nulle preuve : je n'ai jamais vu ma mère lui témoigner la moindre affection, ni avoir simplement pour lui un geste tendre. Et parfois jaillissait chez elle une onde profonde de cruauté.

Ils étaient à Deauville pour un long week-end. Guy devait rentrer à Paris en train pour faire des examens, et elle l'accompagna à la gare. Une tranche de saucisson, grasse et fine, s'était échappée d'un sandwich et guettait sa victime. Guy marcha dessus du talon, franchement, et accomplit dans le hall un vol plané digne du capitaine Haddock à Moulinsart. Il chuta lourdement. Autour de lui, on vint à son aide avec inquiétude, mais ma mère, elle, dut s'asseoir tant elle riait, répétant entre deux hoquets : « Excuse-moi Guy, mais vraiment, vraiment ! Faut-il être bête ! » Il prit malgré tout son train avec dignité, un coccyx fêlé et ce qui se révéla être une belle entorse. Des années plus tard, elle racontait encore cette scène devant un Guy gêné qui avait pris le parti d'en sourire.

Le dernier souvenir qu'il me reste de leur couple, avant que lui n'entre à l'hôpital pour n'en plus ressortir, fut une courte visite à la campagne. Je les avais rejoints, craignant qu'on ne se débarrassât de mes propres meubles à l'occasion d'une sorte d'inventaire de la grange, qu'ils effectuaient avec le jardinier et sa femme, lesquels gardaient la maison.

Il y avait là un vieux meuble radio tourne-disque Pathé-Marconi, à lampes, avec des condensateurs au mica. L'engin datait du temps du swing et du cha-cha-cha, mais il fonctionnait encore, à condition de laisser les ampoules prendre leur temps pour chauffer.

— Mes parents me l'ont offert pour mes vingt ans, dit Guy.

Il paraissait ému, et il soupira :

— Ça, j'en ai des souvenirs.

C'en fut trop pour ma mère, qui s'écria avec fureur et mépris :

— Des souvenirs, des souvenirs ! Non mais ! Je vais t'en fabriquer, moi, des souvenirs !

Devant cette explosion que rien ne laissait présager, le flegmatique jardinier lui-même sursauta et Guy la regarda avec stupéfaction.

— Allez, du balai, du balai ! répétait ma mère.

Mon beau-père n'aurait pu sauver le tourne-disque de la décharge et de la destruction. C'est à moi, qui me dis intéressé et qui dus longuement batailler, qu'il doit son salut.

Sous le signe « Pathé-Marconi » est écrit : « La Voix de son maître ».

Je le cède à qui veut.

IX

La Maison Le Tellier

« Guerre aux châteaux ! Paix aux chaumières ! »

Décret du 15 décembre 1792

La légende aristocratique de la famille de mon beau-père voulait que les Le Tellier descendissent en voie directe de Guillaume le Conquérant. À cette perspective que la reine d'Angleterre pût être en quelque sorte sa vassale, ma mère se gonflait d'une allégresse absurde qui déjà, enfant, m'embarrassait.

Pour qu'Elizabeth II eût le privilège de s'agenouiller devant ma mère, il eût d'abord fallu, bien entendu, que cette dernière accédât elle-même au rang de « Le Tellier », promotion potentielle qui pesa assurément d'un grand poids lors du choix de cet époux plutôt inconsistant. Mais, dans cette famille aristocratique, son statut de femme divorcée avec enfant fit d'elle une pièce rapportée incongrue. Ma mère ne fut donc jamais acceptée, et son rejeton guère plus.

Ici, un aparté : les Le Tellier descendaient en réalité d'un habile bourgeois, certes normand, Michel Le Tellier, que Louis XIII nomma secrétaire d'État et que Louis XIV fit marquis de Barbezieux, seigneur de Chaville, d'Étang et de Viroflay. Surtout, le Roi-Soleil avait nommé son fils François Michel au secrétariat d'État de la Guerre, lui avait donné le titre de marquis de Louvois, après lui avoir offert le château comme cadeau de mariage. Le blason était plutôt élégant, d'azur, avec trois lézards d'argent posés en pal, surmontés de trois étoiles d'or.

Louvois est hélas surtout connu pour avoir signé la révocation de l'édit de Nantes, en 1685, après avoir organisé des dragonnades pour obtenir des conversions forcées. Cette année-là, Louis XIV, pour satisfaire l'Église, mit fin à l'État-arbitre, persécuta juifs, huguenots et jansénistes, et provoqua leur exil massif. Ce fut pour la France un terrible recul, la pire des saignées économique, intellectuelle et sociale.

Adolescent, je découvris avec consternation mon patronyme dans *Les Misérables*, dans cette défense de la brutalité de la Révolution contre la barbarie de l'Ancien Régime. Hugo écrivait, par la voix douce et forte du conventionnel G. mourant : « Le père Duchêne est féroce, mais quelle épithète m'accorderez-vous pour le père Letellier ? Jourdan-Coupe-Tête est un monstre, mais moindre que M. le marquis de Louvois. Monsieur, monsieur, je plains Marie-Antoinette, archiduchesse et reine, mais je plains aussi cette pauvre femme huguenote qui, en 1685, sous Louis le Grand, monsieur, allaitant son enfant, fut liée, nue jusqu'à la ceinture, le sein se gonflait de lait et le cœur d'angoisse. Le petit, affamé et pâle, voyait ce sein, agonisait et criait, et le bourreau disait à la femme, mère et nourrice : "Abjure !" lui donnant à choisir entre la mort de son enfant et la mort de sa conscience. Que dites-vous de ce supplice de Tantale accommodé à une mère ? »

Cette lecture relativisa pour moi toute fierté de porter ce nom.

Fin de l'aparté.

Si j'appelais Guy « papa », je n'ai pas souvenir d'avoir donné à son père du « grand-père », « pépé » ou autres « papy », et je suis certain de n'avoir jamais su en quels termes m'adresser à sa mère. Elle n'avait envers moi aucune animosité, mais je pressentais que prononcer un « mamie » était totalement saugrenu et l'aurait fait frissonner d'effroi. Je contournais sans doute le problème, à ma façon, quand nous leur rendions visite. Eux m'appelaient Hervé, c'était plus simple.

C'était du côté de la famille maternelle de mon beau-père, les Sainte-Lucie, que ma mère était le plus rejetée. Des « fins de race », affirmait-elle en retour avec moins de mépris que de jalousie. Mais, à examiner cette branche avec attention, l'affaire était plus complexe.

Les Sainte-Lucie étaient avant tout trois filles, toutes trois nées à un an d'écart, Simone, Yvette, et Odette. Yvette était la mère de mon beau-père, Simone l'aînée sa marraine, « marraine Mone », et Odette, la plus jeune. Leur différence d'âge ne me sautait pas aux yeux.

Ma mère haïssait marraine Mone.

— Celle-là, elle ne se prend pas pour la moitié d'une crotte.

Ce n'était sans doute pas faux, mais je ne disposais guère de sources d'information et d'analyse contradictoires. Quoi qu'il en fût, j'avais fini par voir en cette femme une espèce de fée Carabosse à la fois hautaine et maléfique. Simone ne s'était jamais mariée – « mais qui voudrait d'elle ? » raillait ma mère –, avait des responsabilités dans une mairie – « un poste obtenu par piston » –, avait été dans la Résistance – « ah ! personne n'en a la preuve… ». Marraine Mone se mit en tout cas à arborer avec fierté dans les années soixante-dix la rosette de la Légion d'honneur, récompense décrochée il est vrai bien tardivement pour la membre active d'un quelconque réseau clandestin. Mais je ne suis pas un expert.

La cadette Odette avait épousé un Odet, chose qui aurait pu attester un manque d'originalité si l'homme n'avait été absolument noir de peau. J'avais ainsi un grand-oncle, Tont'Odet, au teint de jais, au corps sec et au beau visage ridé, toujours « tiré à quatre épingles » comme disait ma mère. Guadeloupéen d'origine mais nullement métissé, avocat du barreau de Paris, reconnu et respecté chez ses pairs, il avait demandé dans les années trente la main d'Odette. On la lui avait accordée sans hésiter et jamais aucune des Sainte-Lucie n'avait émis de réticence à l'entrée d'un Noir dans la famille. Il racontait souvent en riant qu'au soir de sa nuit de noces, lorsqu'il sortit de la douche, ses cheveux crépus mouillés et dressés en tous sens, affranchis enfin de la gangue de la gomina, sa jeune femme s'était effrayée de cette vision, et avait pris pour la première fois conscience qu'elle avait épousé un guerrier massaï.

Tont'Odet affirmait même avoir traversé l'existence sans jamais vraiment croiser le racisme. J'avais du mal à croire cette assertion jusqu'à ce jour où, âgé de quatre-vingts ans, il revint d'un café place de l'Opéra, totalement bouleversé. Alors qu'il buvait son café en terrasse, un « voyou » l'avait traité de « nègre ». Il avait frappé l'homme de sa canne de vieillard, l'avait fait fuir, et tout tremblant d'indignation s'était lancé sur le trottoir dans une longue plaidoirie pour la France et ses valeurs républicaines. La foule, disait-il avec émotion et une pointe d'orgueil, l'avait applaudi. C'était possible après tout.

Pourtant la négritude le taraudait. Il avait consacré des années à des recherches sur la vie du chevalier de Saint-George. Elle était, il est vrai, extraordinaire : Boulogne Joseph de Saint-George, né esclave vers 1745, fils d'un colon et d'une esclave noire, arrivé à Bordeaux tout jeune, avait eu, bien que métis, une adolescence de jeune aristocrate, puis s'était lancé dans une double carrière de violoniste virtuose et d'extraordinaire escrimeur : un tableau de Robineau témoigne d'un assaut amical à Carlton House avec le chevalier d'Éon, devant un parterre choisi de la noblesse anglaise. Mieux : longtemps protégé par les Orléans, Saint-George s'était rallié à la Révolution, engagé contre l'esclavage, et il avait fondé la Légion franche des Américains, une brigade composée d'hommes de couleur et engagée auprès de la jeune république, avant que cette dernière ne le déçoive dans son fatal et napoléonesque enlisement. C'était un personnage au destin hors du commun, un aventurier cosmopolite, qui ne pouvait que fasciner un homme comme Odet.

Tont'Odet me témoignait une vraie affection et, lorsqu'il m'emmenait en promenade, souvent au zoo de Vincennes, j'étais fier de marcher au côté de cet homme si noir et si élégant, dont le bonheur, quand nous faisions halte dans un bistrot, était de lancer au garçon :

— Garçon, un petit noir pour moi et un chocolat pour mon grand neveu.

J'avais vingt-cinq ans quand il m'offrit son dernier livre, un petit ouvrage publié chez un éditeur si inconnu qu'il avait dû l'être à compte d'auteur. J'eus un peu de peine à l'achever : il y évoquait avec candeur son enfance, son parcours familial et professionnel, et il y avait, cela j'en suis certain, « humanisme » dans le titre.

Mon beau-père le chérissait, et lorsque je cherchais des raisons pour estimer Guy, voire l'aimer, c'était dans cette tendresse sincère que j'allais les chercher.

D'Yvette, que mon beau-père appelait « Mamour », je me souviens bien peu. C'était une femme au foyer, effacée, d'une discrétion absolue, presque invisible. Mais inaudible elle n'était point. En ces rares dimanches où nous étions en visite, elle finissait souvent accoudée au piano à queue du salon, où elle chantait avec sa sœur Odette le « Duo des fleurs », de *Lakmé*, tandis que son fils les accompagnait au clavier.

Sous le dôme épais où le blanc jasmin
À la rose s'assemble,
Sur la rive en fleurs, riant au matin,
Viens, descendons ensemble.

C'était un massacre, puis-je sans erreur affirmer avec le recul. Je m'en doutais déjà à l'époque, mais je disposais de trop peu d'indices de comparaison. Elles pouvaient également exécuter, je pèse mes mots, la « Barcarolle » – « Belle nuit, ô nuit d'amour » –, un autre duo pour sopranos tiré des *Contes d'Hoffmann* d'Offenbach.

Le père de Guy, Frédéric, assistait avec flegme à ces prestations, en buvant son cognac un peu à l'écart. Il n'était pas antipathique. C'était un homme mince, très grand, si grand d'ailleurs qu'il s'était vite voûté. Son fils ne lui ressemblait en rien, et je n'aurais pas misé un kopeck sur les résultats d'un test ADN. Il semblait partout en visite, peut-être même et surtout chez lui. Toute sa vie, il avait eu une maîtresse, qu'il logeait et entretenait, et si peu secrète que je crois bien avoir toujours connu son prénom : Hélène. Souvent, à l'issue de ces ennuyeux déjeuners dominicaux, il se levait de table, prenait un cigare et énonçait simplement : « Bien. » Puis, la messe étant dite, il sortait sur un au revoir très approximatif, prenant congé d'un simple geste de la main. La conversation reprenait, relancée par marraine Mone, grande prêtresse du sauvetage des apparences.

Frédéric avait un frère, dont le prénom avait définitivement disparu derrière un « Tonton » peu distinctif, mais il me semble toutefois que c'était Stéphane. Stéphane ne s'était jamais marié, il était toujours resté vivre avec son frère. Mince, petit, presque fluet, il ressemblait au Stan de Laurel et Hardy : c'était un homme discret à qui l'on ne connaissait aucune liaison féminine. La rumeur lui prêtait donc une autre vie, plus secrète, avec des hommes. Mais rien ne vint jamais attester cette hypothèse. Ingénieur autant qu'inventeur, il avait fabriqué pour mon beau-père un extraordinaire train électrique, de grande taille, dont les toits des wagons s'ouvraient pour laisser découvrir les banquettes et de petits personnages. La locomotive était l'exacte reproduction à l'échelle 1/20 d'une Pacific 230 G des années vingt. Les rails miniatures en fer forgé étaient habilement cloués sur des traverses en chêne. J'aurais voulu que cette merveille fût exposée chez mes parents, mais ma mère préféra placer derrière ses vitrines des marquises en porcelaine de Saxe, des chevaux en bronze et des bouddhas en ivoire.

Lorsque j'eus vingt ans, Tonton me remit les clés de sa 403 beige de 1955 qu'il s'était résigné, avec l'âge, à ne plus piloter. Elle était dans un état mécanique et de carrosserie éblouissant, et je parcourus toute l'Italie sans le moindre problème ni direction assistée. J'aurais aimé conserver le véhicule, mais ma mère refusa catégoriquement de stocker cette « vieillerie » dans la remise de la maison de campagne. Elle abattit même le bâtiment peu après. Je dus me résigner à la revendre.

Frédéric et Stéphane codirigeaient une entreprise de stylos à plume. J'en ignorais le nom. Ils fabriquaient pour d'autres des stylos-plumes d'une qualité médiocre. Le père de Guy s'occupait du financier et du commercial, son frère de l'ingénierie et de la recherche.

Enfant, j'avais vu l'affaire péricliter. Il y eut d'abord le drame de septembre 1965, quand onze millions d'élèves firent leur rentrée, et eurent pour la première fois le droit d'écrire au stylo à bille. Le baron Marcel Bich et son révolutionnaire Bic Cristal firent un carnage : le logo de la marque devint un petit écolier orange avec une tête en forme de grosse boule et un stylo dans le dos.

« Bic m'a tuer », comme aurait pu titrer *Libération*.

Mais la chute de la maison Le Tellier fut en réalité une longue agonie. Chaque génération de leurs stylos affrontait une compétition plus rude que la précédente. Le diagnostic de leur faillite est simple : d'abord, une fabrication coûteuse, en trop petite série, dans leur atelier parisien de la rue de la Folie-Méricourt. Puis, un retard technique croissant sur la concurrence, en raison d'erreurs stratégiques – je me souviens de remarques sarcastiques sur la stupidité de la cartouche, alors que la pompe en caoutchouc était tellement pratique. Un design fade, voire inexistant, et dont l'absence étonne, même pour l'époque. Enfin, leur positionnement commercial, un milieu de gamme prétentieux, était intenable – ah, cette étrange fierté d'avoir placé une plume en or sur un tube oblong en bakélite brune. Les Schaeffer, Pelikan, Parker et autres Waterman, qui tous ont survécu, occupaient un haut de gamme inaccessible.

De leur industrie, il ne reste rien : taper sur un moteur de recherche mon nom de famille agrémenté des mots « stylo » et « plume » ne donne aucune réponse qui les concerne.

Le château de Chaville était vendu depuis fort longtemps, tout comme les forêts et les terres. Guy conservait pieusement les coupures de journaux, les certificats de vente, toutes ces attestations de la richesse passée qui prouvaient surtout l'incompétence crasse d'une longue lignée d'oisifs. Le domicile parisien ne leur appartenait pas, et rapidement les Le Tellier ne purent plus payer le loyer de leur appartement. Certains de leurs meubles « très anciens » finirent leur vie dans la maison de campagne de ma mère, et les deux frères, l'un devenu veuf et l'autre toujours solitaire, furent acceptés dans une maison de repos peu luxueuse, que leur retraite de patrons artisans suffisait à peine à payer. Ils y vécurent chichement dans des costumes trois-pièces naguère coupés à leur mesure et de plus en plus élimés.

Leur déchéance puis leur ruine sonnèrent comme une revanche pour ma mère roturière.

— Ah ça, ils font moins les malins, l'entendis-je dire un jour à mon beau-père, qui ne trouva rien à répliquer, tant leur humiliation était aussi la sienne.

X

La vérité nue

> « Commencé aujourd'hui ce journal : désireux que je suis de noter mes toutes premières impressions.
> Désagréables. »
>
> Raymond Queneau, *Dormi pleuré*

J'avais dix mois quand ma mère partit en Angleterre. Je n'en garde pas le moindre souvenir et ma mère, chaque fois que je l'interrogeai sur son séjour britannique, me donna pour réponse :

— Cela n'a duré qu'un an, et même moins.

Elle ajoutait presque aussitôt :

— Je venais te voir tous les week-ends.

L'hypothèse de la mère voyageuse me satisfit assez longtemps. Mais j'étais un enfant raisonneur et la chose me semblait compliquée. Comme un jour, soudain étonné, je demandai à ma mère, « Tous les week-ends ? », la justification s'enrichit d'un plus persuasif :

— Ou bien ta grand-mère t'emmenait.

— En ferry ? Mais c'est bien trop long. Rien que pour aller à…

— En avion, coupa ma mère.

Je n'en tirai rien de plus. En avion, donc.

C'était la fin des années cinquante. Roissy n'existait pas, le tunnel était un rêve d'ingénieurs hallucinés, les compagnies *low cost* n'étaient pas inventées. Il fallait prendre l'avion au Bourget, et il atterrissait à Gatwick. Le prix était exorbitant et un voyage hebdomadaire aurait dévoré la paye d'une enseignante.

Certes, avec un peu de vaillance, une autre traversée aérienne existait, plus économique, et terriblement exotique. On décollait du petit aéroport du Touquet, dans le Pas-de-Calais, et l'on franchissait la Manche à basse altitude pour se poser à Douvres un quart d'heure plus tard. La navette était assurée par la compagnie Channel Air Bridge sur un drôle de petit avion-cargo à hélices, le Bristol 170 Wayfarer. La machine volante était aussi laide que lente, aussi bruyante que solide. Elle possédait un gros pif rond qui s'ouvrait en deux pour accueillir quelques véhicules tandis qu'une vingtaine de passagers embarquaient dans une inconfortable cabine arrière. Son train d'atterrissage était fixe ; à quoi bon un train rétractable pour une si courte distance ? À peine l'eût-on rentré qu'il eût fallu le ressortir. C'était un avion pataud, d'une rusticité extrême, une sorte de cachalot d'aluminium avec des ailes et un bec de perroquet. Un pilote sans grande miséricorde l'avait ainsi défini : « Quarante mille rivets volant en formation serrée. » Pour tout avouer, c'était un avion de guerre. La Royal Air Force l'avait commandé au début des années quarante pour les besoins tactiques de l'offensive du débarquement. Mais le prototype n'avait pu faire son vol inaugural que le 2 décembre 1945, et la paix toute nouvelle avait imposé de lui trouver des applications civiles : ce pont aérien entre l'Angleterre et le continent en était une.

Cela posé, et pour aventureuse que fût cette option du Touquet, s'y rendre en 1960 restait une expédition. L'autoroute A1 Paris-Lille était encore en projet, la Nationale 1 était saturée de camions, et une fois à Douvres, le trajet jusqu'à Londres prenait deux autres bonnes heures. Aussi l'aller-retour hebdomadaire de ma mère demeurait-il à mes yeux un miracle spatio-temporel, un exploit digne de la téléportation du bon docteur Spock dans *Star Trek*.

Je soumis ma grand-mère à un interrogatoire serré et elle finit par répondre, lasse de défendre le trop peu vraisemblable :

— Ta mère revenait pour les vacances.

Ce début de ma vie est recouvert d'une opaque nappe de brume impossible à dissiper tant les mensonges sont nombreux. Une chose est certaine : ma mère connut très vite après le départ de mon père celui qui devait devenir mon beau-père. De leur rencontre, elle fournit bien trop de versions pour qu'aucune soit crédible. Le fait est qu'il la rejoignit en Angleterre. En France il était pion, puis instituteur. À Wallington School for Boys la promotion fut immédiate, et il devint répétiteur en français, puis enseignant. Ils se marièrent en Angleterre en octobre 1959, sitôt le divorce de ma mère prononcé.

Je crus longtemps que l'épisode britannique n'avait duré que quelques mois, un an tout au plus, mais au décès de mon beau-père, en rangeant des documents administratifs, je découvris que ce n'est qu'en mars 1961 que ma mère et lui étaient rentrés, quand j'allais avoir quatre ans. Ma mère ne fut pas témoin de mes premiers pas, n'entendit pas mon premier mot, et c'est mon grand-père qui lui apprit que je savais lire. Durant toute cette période, je n'avais fait que les y rejoindre de manière très intermittente. Souvent, comme ils travaillaient, je passais mes journées dans des classes de maternelle, sortes de stages linguistiques intenses où j'appris à mes dépens que « pipi » se disait *wee-wee*. Mon presque unique souvenir de la prime enfance en Angleterre est une humiliation agrémentée d'une forte odeur d'urine. Ajoutons pour faire bonne mesure les cygnes gris, plutôt hargneux, d'un petit lac artificiel, et les effluves trop sucrés de mauvais cacao de la chocolaterie Rowntree's toute proche.

Mes séjours, quand j'atteignis l'âge de cinq ans, se firent plus longs. Ma mère et Guy continuaient à enseigner trois ou quatre mois par an à Croydon, mais désormais je les accompagnais. J'étais chaque fois scolarisé dans la même école primaire de garçons, Wallington School for Boys. Régnaient à l'époque sur les classes britanniques de petits tyrans pervers, propulsés au rang de responsables de l'ordre et de la discipline :

les *school prefects*. Difficile de savoir si leur fonction était à l'origine de leur sadisme ou si au contraire cette disposition d'esprit leur avait valu d'être sélectionnés. Celui qui « dirigea » ma classe durant trois ans s'appelait Andrew Peacock, ce qui accessoirement signifie « paon ». Je devins aussitôt son souffre-douleur, et il me désigna à la vindicte générale. À sa décharge, français, de deux ans plus jeune, sans ami, et destiné à ne pas rester dans l'école, j'étais la cible idéale. Ainsi, dans l'indifférence complice des enseignants pour qui la paix sociale exigeait que fût désigné un bon bouc émissaire, je fus la *french frog*, le « débile », l'« attardé » – car, maîtrisant d'abord mal l'anglais, je fus longtemps lent à la réplique. L'éducation anglaise fascisante de l'époque m'inspire encore une profonde aversion, et non, je ne trouve pas très sympathique l'atmosphère de Poudlard, dans *Harry Potter*.

Je revins définitivement à Paris vers l'âge de sept ans.

Nous emménageâmes dans un petit appartement, rue Duhesme. Vraiment petit : lits, table, chaises, tout se pliait et se dépliait. Voici quelques années, passant devant l'immeuble, j'ai vu un panonceau « À vendre » accroché au balcon. Je l'ai visité : les propriétaires successifs l'avaient transformé, mais ils n'avaient pu l'agrandir. Il mesurait – loi Carrez oblige – 28 mètres carrés. On taira son prix, indécent.

C'est vers cette époque que ma mère engagea un combat qui dura des années : je devais changer de nom. Elle avait toujours détesté celui de Goupil, et avait même demandé à mon géniteur, du temps de leur union, d'en changer. Il était désormais essentiel pour elle que j'en portasse un autre ; elle opta d'abord pour le patronyme de son père, Michel, mais la démarche était vouée à l'échec. Elle m'inscrivit alors à mon entrée au collège sous le nom de Le Tellier, et convainquit l'administration scolaire que non seulement je refuserais de répondre à tout autre, mais que me donner du « Goupil » pouvait être, chez l'enfant perturbé que j'étais, à l'origine d'une crise de nerfs.

Puis elle initia une procédure judiciaire. Elle écrivit pour moi des dizaines de lettres au procureur de la République, lettres que je devais chaque fois recopier. Dans un brouillon de sa main que j'ai retrouvé, j'expliquais que mon géniteur m'avait « abandonné peu après ma naissance », que je voulais porter le nom de mon beau-père, que j'appelais d'ailleurs « papa », qui m'avait « recueilli » peu après et même m'avait « adopté ». Puis je signais « Hervé Le Tellier, neuf ans, élève en sixième 2 ».

C'est à peu près au même âge que j'appris, au détour d'une conversation d'adultes, que ma mère avait avorté quelques années plus tôt en Suisse. Dès qu'on s'aperçut que le gamin qui jouait aux Lego avait tourné la tête, le silence se fit. Ma grand-mère me prit à part aussitôt, et m'expliqua qu'il s'agissait d'un « accident », qu'à l'époque, ma mère ne désirait plus d'enfant. Mais ma mère voulut être plus loquace et elle me l'expliqua bien plusieurs fois : elle l'avait fait « pour moi ». Guy se serait évidemment attaché à « son » enfant, et il m'aurait délaissé, voire pris en grippe. Je sus ainsi grâce à elle que j'étais responsable de la mort d'un petit frère ou d'une petite sœur, et qu'il me fallait aussi me défier de papa.

Je compris pourtant vite qu'il était difficile d'accorder le moindre crédit à ce que ma mère racontait. Ce n'était pas qu'elle aimât particulièrement mentir, mais accepter la vérité exigeait trop d'elle. Elle accumulait ainsi les mensonges, et elle les imposait à tous.

Grand-papa s'était brouillé voici longtemps avec son frère cadet, Émile, sans que j'en susse la raison. Ils ne se voyaient plus, ne se parlaient plus. À soixante ans, Émile, dépressif et mélancolique, se pendit. Ma mère l'apprit la première et décida de dissimuler le drame à son père. Je reçus, comme toute la famille, l'ordre de n'en rien dire sous aucun prétexte : « Ton grand-père est très malade, il ne faut pas lui en parler. » Plusieurs fois, je voulus toutefois connaître le pourquoi du suicide. Je n'obtins aucune réponse, sinon un haussement d'épaules. La folie était dans la famille et il convenait de l'escamoter, fût-ce sous un tapis de silence.

Lorsque Grand-papa mourut, son père Joseph avait quatre-vingt-quinze ans ; il vivait encore dans sa chambre de bonne, boulevard Ornano. Ma mère décida de cacher au vieillard la mort de son fils aîné, tout comme elle était parvenue à camoufler celle du cadet : Grand-papa était en voyage au Moyen-Orient, Émile s'était installé à Biarritz. Lorsqu'il tentait, plein de soupçons, d'en savoir plus, ma mère brodait avec ardeur. Elle le laissa dans l'ignorance jusqu'à son décès, trois ans plus tard.

Mais le plus révélateur fut l'affaire Otto. Otto était mon correspondant allemand, il avait douze ans et moi aussi. Ce n'était pas une camaraderie, c'était un de ces montages d'adultes, l'équivalent linguistique et amical du mariage forcé, qui peut conduire à des haines tenaces et injustes contre un peuple entier. Ma tante, mon oncle, mes cousins, mes parents étions à la montagne, et nous attendions Otto. Sa grande sœur Sandra, fière d'avoir tout juste obtenu son permis, l'amenait dans sa Coccinelle toute neuve.

Il y avait eu un coup de téléphone, une soudaine agitation, mon oncle Serge et mon beau-père s'étaient aussitôt absentés. Je jouais au Monopoly avec mes cousins quand ma mère vint nous voir : voici quelques minutes à peine, Sandra venait de l'appeler, et c'était vraiment dommage, mais Otto était malade, une très grosse pneumonie, et ne pourrait pas venir cette semaine.

— Écoute, avait ajouté ma mère en me regardant avec intensité, ce n'est pas grave, tu le verras aux grandes vacances.

J'étais très déçu. Qu'Otto ne vînt pas m'indifférait plutôt, mais je ne verrais pas Sandra, qui était mon puissant fantasme érotique depuis qu'un soir où elle se baignait dans la piscine de leur luxueuse villa bavaroise, j'avais vu ses beaux seins nus.

La partie avait repris, et j'avais enfin obtenu la rue de la Paix. Ma mère et ma tante s'étaient isolées dans une chambre et elles se disputaient. Nous nous approchâmes de la porte. Ma mère parlait à voix basse :

— Il ne faut pas leur dire, cela va gâcher leurs vacances.

— Mais enfin, on ne peut pas leur cacher, répondait ma tante, qui pleurait. Tu te rends compte ? Mais quelle horreur !

— Raphy, si tu décides de leur dire la vérité, nous rentrons dès maintenant à Paris, dit ma mère.

Mon oncle et mon beau-père arrivèrent au même instant. Mon oncle avait l'air grave : il nous réunit, moi et mes cousins, et nous annonça que comme Sandra et Otto venaient de passer la frontière allemande, ils avaient eu un accident de voiture, sur l'autoroute, que Sandra était grièvement blessée et qu'Otto était mort.

Mon oncle précisa encore que Sandra était dans le coma, et que son petit frère était décédé sur le coup, sans souffrir, et d'ailleurs qu'il dormait au moment de l'accident. Demain matin tôt serait organisée une cérémonie pour nous tous, à la chapelle. On prierait pour Otto et surtout pour Sandra. Ensuite, parce qu'il n'y avait rien que nous puissions faire, nous les enfants irions à nos cours collectifs de ski.

Ma mère restait abattue, éteinte, au fond de la pièce. J'étais désemparé, mais je ne parvenais pas à croiser son regard, qui flottait dans le vague. Je crois me souvenir qu'elle vint me serrer dans ses bras, mais elle ne reparla pas de l'invention de cette pneumonie d'Otto. Pour la première fois, je l'avais vue me mentir, et je sus que lui faire confiance serait désormais impossible.

Tous les mensonges déjà servis me revinrent et il y en eut cent à venir. Mon beau-père n'avait aucun titre de noblesse, mais j'entendis ma mère prétendre qu'il était comte, le contraignant à confirmer, de manière malhabile. Ses années d'instituteur, qu'elle jugeait indignes d'elle plus encore que de lui, furent gommées, et je le vis accéder directement au statut de professeur d'anglais. Ma mère, ayant assuré quelques cours dans un IUT, devint aussitôt professeur d'université. Elle passa dans le cadre des agrégés par une obscure promotion interne, mais elle parvint à se convaincre elle-même d'avoir réussi l'agrégation.

Tout visait à maquiller les vérités dérangeantes. Il me fallut soutenir ses fictions, d'autant qu'elle m'en fit souvent complice. À seize ans, j'arrêtai maths sup pour rater quelques mois plus tard ma première année de fac. Mais pour toute la famille, je réussissais mes études ; je n'osais démentir ma mère lorsqu'elle me décernait d'office des diplômes en mathématiques que je n'obtenais chaque fois que l'année suivante, voire deux ans plus tard. Lorsque je quittai la maison à dix-huit ans, ma mère le dissimula à ma grand-mère, qui pourtant habitait deux étages en dessous d'elle. Lorsqu'il m'arrivait de passer, ma mère me répétait, à voix basse : « Surtout, ne dis pas à ta grand-mère que tu es parti, elle en mourrait de chagrin. »

Ma grand-mère savait pourtant, depuis le début, et elle avait survécu.

XI

Cuvilly

> « Nos ancêtres aimaient la campagne : ils s'y promenaient et ne la regardaient pas. »
>
> Jules Renard, *Journal*

De son père, ma mère tenait une maison de campagne.

Le terme est abusif. Tout d'abord, celle-ci n'était pas véritablement à la campagne, mais dans un de ces villages picards où les fermes à cour fermée s'alignent le long d'une grand-rue. Il n'était pas totalement déserté : certes, l'école avait fermé, mais il comptait encore une épicerie, une boulangerie, un café avec un billard français et qui vendait la presse, et bien sûr une église, sur le fronton de laquelle était écrit : « Ah qu'il est bon le bon Dieu ! » Ce n'était pas de l'humour, d'autant qu'à tout prendre, un « Ah qu'elle est vierge la Vierge Marie ! » eût été plus amusant.

Quant à la maison, la vérité impose d'avouer que c'était justement une ferme, et même une demi-ferme : elle avait été divisée en deux lots et la grande cour partagée en deux petites par un imposant mur de pierre, mais pas assez haut pour empêcher qu'enfant je ne finisse par expédier tous mes ballons chez le voisin.

La « grand-rue » était en revanche une dénomination trop modeste : c'était la Nationale 1, qui relie Paris à Lille. L'autoroute A1 avait certes détourné une partie du trafic, très intense jusqu'aux années soixante-dix, mais chaque minute ou presque, un semi-remorque passait bruyamment à quelques mètres de la salle à manger et faisait trembler les vitres. Avec les années, je pouvais mesurer les progrès des techniques d'isolation, mais les murs de brique vibraient toujours autant au passage des trente tonnes.

Le village s'appelait Cuvilly, et mon grand-père, propriétaire initial de cette demeure, en avait baptisé assez plaisamment les habitants les Cuvilains – pure calomnie, puisqu'il s'agissait des Cuvillois. Il avait acquis la maison dans les années trente et, après y avoir logé un temps ses parents, en avait fait après la guerre sa résidence secondaire, en dépit de l'ensoleillement le plus faible de France et d'une pluviométrie très favorable aux saules pleureurs. C'est là que, en *pater familias* autocrate, il rassemblait ses filles, ses gendres et ses petits-enfants à l'occasion des grandes vacances et des fêtes de l'hiver. Je n'y ai que très peu de souvenirs malgré tout, sinon celui d'une crèche en papier kraft et de guirlandes lumineuses sous un sapin. Devenue sénile, ma mère répétait sans cesse : « Nous y avons été si heureux », mais je vois si peu à quel bonheur commun elle se réfère que je suppose qu'elle évoque son adolescence et les années précédant ma naissance.

Mon beau-père, chaque fois qu'il passait devant l'énorme pin Nordmann planté au fond du jardin, disait :

— C'est fou, quand on pense que c'était le petit sapin du Noël 1967...

Un jour, las de cette incessante redite, je décidai d'éviter l'énonciation du poncif en lançant par avance :

— Mais ! Ce n'était pas le petit sapin du Noël 1967 ?

Guy répondit malgré tout, l'air pénétré :

— Si, c'est lui. C'est fou, quand on y pense.

Mon grand-père est mort pendant les « événements de 68 ». On l'enterra dans le caveau de famille du cimetière du village. Ç'aurait pu être la fin de Cuvilly si au moment de l'héritage, chez le notaire, ma mère n'avait racheté la ferme à sa sœur, qui lui vendit sa part sans hésitation ni regret. Même si ma mère n'allait jamais déposer de chrysanthèmes sur la tombe de son père, elle ne concevait pas de s'éloigner de ses ossements ni d'abandonner cette maison emplie du souvenir de ces moments heureux passés avec lui. Peut-être espérait-elle aussi perpétuer ces rendez-vous de communion familiale. Mais sa sœur, pas folle, en été préférait le soleil, et en hiver la neige.

Pourtant, par la suite, ma mère ne cessa d'agrandir et d'enrichir cette bâtisse sans charme, sans qu'aucun de ces aménagements ne conduisît quiconque à y passer le moindre week-end. Car ma mère et son mari n'y allaient pas plus qu'avant, sinon pour surveiller l'achèvement de ces travaux pharaoniques. Une petite fortune y fut engloutie : des chiens-assis vinrent se nicher dans le toit de tuile, des spots halogènes se chargèrent d'éclairer les arbres la nuit, puis furent posés des volets roulants électriques à commande centralisée, on installa deux portails de fer forgé télécommandés, et un escalier intérieur de chêne massif remplaça une échelle métallique pour conduire à des combles inhabitables… La forme immobilière de l'acharnement thérapeutique.

La maison, qui comptait à l'origine quatre chambres, finit ainsi par en totaliser sept, ce qui peut sembler beaucoup pour un couple avec un enfant et sans aucun ami. Ma mère avait adjoint à chaque chambre une salle de bains : toutes s'agrémentaient d'une baignoire sabot, ce meuble d'eau assez justement oublié, fruit de l'accouplement monstrueux d'un trône incommode et d'un vase de nuit. On ne pouvait ni s'y doucher facilement, ni s'y baigner du tout, mais du moins la couleur des émaux était-elle rétro : ocre, mauve, vert d'eau, parme… Signe d'époque, chaque salle de bains possédait de plus son bidet, objet d'hygiène intime devenu exotique à force d'être ringardisé, alors que son existence est attestée dès 1739 par le dictionnaire *Trésor de la langue française*. Sa disparition progressive, que l'on peut regretter, témoignerait à la fois d'un recul de l'hygiène intime, de la généralisation des douches et d'avancées décisives dans la qualité du papier-toilette. Mais il y aurait trop à en dire pour approfondir ici cette question.

Au début du nouveau siècle enfin, mes parents m'apprirent qu'ils me faisaient un cadeau : un don, comme l'autorise la loi, d'une somme de trente mille euros, nets d'impôts. Je les en remerciai, car je remboursais un lourd crédit immobilier, mais ils m'apprirent avec fierté que cet argent avait en réalité servi à acheter le champ mitoyen, lequel était désormais à mon nom. Ils avaient d'ailleurs aussitôt abattu le mur qui le séparait de leur jardin, et annexé de fait ce terrain mien qu'ils avaient largement planté d'arbres.

Un ami à qui je racontais cette « affaire du champ » relativisa la chose :

— De quoi te plains-tu ? Tu sais ce que m'ont offert mes parents pour mes quarante ans ? Une concession perpétuelle au cimetière, à côté d'eux.

« Cuvilly » était décoré dans ce mauvais goût si affirmé des années soixante-dix où triomphaient le papier peint vasarelyesque, la poutre apparente et le crépi intérieur rustique. La maison était devenue une sorte de grenier où s'accumulaient des meubles issus d'héritages divers que ma mère voulait croire « de valeur » car ils étaient, répétait-elle, « très anciens ». La table bretonne Henri II et ses chaises sculptées au bois sombre et triste cohabitaient avec les bergères Louis XV à l'assise de soie rose et les commodes Empire marquetées. S'y ajoutaient des horreurs au confort mou, canapés de velours profonds aux motifs criards et surchargés, poufs improbables en plastique fluo emplis de crissantes billes de polystyrène où le corps s'engloutissait et dont on ne pouvait s'extraire qu'au prix de contorsions ridicules et, pour les aînés, douloureuses. Sans oublier tout le mobilier passé de mode car déjà démodé à peine acquis. Sur les murs, les croûtes rivalisaient entre elles, bouquets de roses, huiles très colorées de l'école de Deauville, et autres aquarelles représentant la garrigue en fleur au printemps.

Quand, des années plus tard, peu après la mort de mon beau-père, je me chargeai de vendre la maison mais d'abord de la vider, je découvris que ce que j'avais pu moi-même y entreposer avait été dérobé par des indélicats qui disposaient des clés. J'appris aussi que mes meubles stockés à la suite d'un déménagement avaient été distribués par ma mère à la femme de ménage, à qui ils plaisaient. Ils « encombraient ». Elle n'avait pas jugé utile de m'en parler.

— Écoute, me dit-elle en levant les yeux au ciel, c'étaient des vieilleries.

Elle était sincère : dans les années soixante-dix, elle avait déjà suivi cette logique toute personnelle en se débarrassant, auprès d'un brocanteur bien heureux de lui rendre ce service, d'une Delahaye 44 à moteur V6 de 1911 qui dormait dans la grange.

Si je puis me flatter que mes possessions trouvèrent preneur, aucun antiquaire ne s'intéressa à ce mobilier non signé, les brocanteurs firent les difficiles, et pour finir les spécialistes du débarras convoqués soupirèrent de dépit. C'est ainsi que les meubles « très anciens » et « de grande valeur » finirent leur carrière au dépôt-vente dans l'indifférence visible du chaland. La bâtisse elle-même resta des années en vente sans séduire quiconque. Le visiteur souhaitant s'installer au bord d'une nationale dans une demeure démesurée qu'il fallait parfois chauffer en juin était une espèce rare. Elle ne trouva finalement acquéreur qu'à un prix dérisoire, moins insultant toutefois que ne l'avaient été certaines offres. Je constatai du même coup que vingt-cinq ans durant, elle avait été estimée par mes parents à près de trois fois sa valeur, et les avait fait du coup basculer du côté flatteur des trois cent mille contribuables concernés par l'impôt sur la fortune.

Mais l'orgueil maternel était à ce prix.

XII

Le compte en Suisse

« Point d'argent, point de Suisse. »
Jean Racine, *Les Plaideurs*

Le 18 avril 1906, la faille de San Andreas décida de se réveiller : un séisme de magnitude 7,8 ébranla la baie de San Francisco à cinq heures du matin heure locale, avant de bousculer, à l'ouverture de Wall Street une heure plus tard, les cours des compagnies d'assurances du monde entier. Menacées de ruine par les centaines de millions de dollars de dégâts, elles se tournèrent naturellement vers leurs réassureurs, ces assureurs d'assureurs, dont la Winterthur, équivalent helvétique de la britannique Lloyd's. À Zurich, le cours de l'action Winterthur commença par dévisser, puis s'effondra totalement en trois jours, au rythme implacable de l'avancée des incendies qui ravageaient San Francisco et que nul ne parvenait à éteindre. Menacée de ne plus pouvoir payer ses salariés, la société proposa à certains de les rémunérer en actions désormais sans valeur. Parmi ceux-ci, un tout jeune homme accepta l'arrangement, avec audace et clairvoyance : quand, en 1907, la Winterthur fut déclarée non responsable d'une telle catastrophe naturelle, l'action rebondit plus haut encore que son cours d'origine. L'homme était riche, et un Suisse riche l'est doublement. La crise des années trente n'affecta guère sa fortune, l'accrut peut-être même, et il épousa une jolie Française, Suzanne, de quinze ans sa cadette, bien avant que n'éclate la Seconde Guerre mondiale.

Au début des années quatre-vingt, mon beau-père se lia d'affection avec une de ses cousines éloignées. C'était Suzanne, désormais veuve de l'assureur. Suzanne était sans enfant et bien âgée. Il s'avéra qu'elle était toujours riche, et jouissait à Lausanne de ce compte bancaire secret – on excusera le pléonasme helvétique – né du séisme californien. Trop fatiguée pour effectuer des allers-retours en Suisse, elle en confia le soin à Guy, qui commença de fructueux voyages.

Sa cousine le désigna comme unique héritier de ses biens avant de décéder, presque centenaire, dans les années quatre-vingt-dix. Le beau-père était soudain un beau parti. C'était inattendu. Étant un cousin éloigné, il paya d'importants droits de succession, qui eussent été plus lourds encore s'il n'avait omis – un oubli sans doute – de déclarer au fisc français son tout nouveau compte suisse.

À la mort de Guy, je rendis visite au banquier lausannois avec ma mère endeuillée et plutôt désorientée. J'ignorais tout du montant, mon beau-père étant fort cachottier. Je découvris, disons-le d'emblée, un joli dépôt, une valeur correspondant à un bel appartement parisien. J'eus alors accès à l'historique des comptes, encore ne fut-ce d'abord que sur les trois dernières années. Ce que j'y vis m'étonna. Guy avait prélevé des sommes importantes sur ce compte, chaque fois en liquide.

La méthode utilisée pour rapporter l'argent en France était bien connue du fisc. Aucun billet ne franchissait réellement la frontière. C'était la « compensation », un système de lessiveuse bancaire parfaitement légal : un fraudeur français – au mieux un charcutier, sinon un proxénète ou un trafiquant – remettait en France du liquide à un représentant de la banque suisse, lequel repassait la valisette peu après à un Français en manque de liquidité et en quête d'invisibilité. La somme était déposée sur le compte du fraudeur, débitée de l'autre compte, la banque prélevant 5 % des montants à chaque opération, soit 10 %. Blanchisseur, c'est un métier.

Je tâchai de convaincre ma mère de déclarer ce compte qui était désormais commun. Ma situation était embarrassante : j'écrivais alors pour la lettre matinale et électronique du *Monde* un billet d'humeur, où, lorsque l'actualité s'y prêtait, je pourfendais la fraude fiscale. Hollande venait d'être élu, l'atmosphère était aux fichiers dévoilés : toute révélation sur ce compte, bien que très hypothétique, eût mis le quotidien en porte-à-faux. Je pris rendez-vous avec Érik Izraelewicz, qui venait d'y être nommé directeur général et allait décéder un an plus tard d'une crise cardiaque dans ses locaux même. Izra me reçut brièvement, mais j'avais peu à dire.

— Je viens d'hériter d'un compte en Suisse, un compte non déclaré. Je vais me mettre en règle avec l'administration.

— Ah ? Bien. Je pensais que tu venais discuter d'une augmentation. Tu as un avocat fiscaliste ?

— J'en ai trouvé un, le seul qui ne demande pas à être réglé uniquement en liquide.

— Bonne chance alors. Tu vas rire, tu es le troisième en deux mois à m'annoncer une chose pareille.

J'entamai la régularisation auprès de l'administration fiscale française. C'est alors et alors seulement que la banque helvétique consentit à lui délivrer, et à moi du même coup, des informations sur les années antérieures. Guy n'avait laissé aucun document comptable, même dans le coffre qu'il détenait dans cette banque.

J'ai dit tout à l'heure que j'étais étonné des retraits en liquide de mon beau-père. Pour dire le vrai, j'étais stupéfait : au début des années quatre-vingt-dix, les fonds déposés sur le compte dépassaient les quarante millions de francs, plus de six millions d'euros. Désormais, malgré une rémunération honorable du compte, il était presque vide : chaque année, Guy avait effectué des retraits de l'ordre de deux cent cinquante mille euros. Eût-il vécu deux années de plus qu'il eût totalement éclusé l'héritage de Suzanne – après les amendes et intérêts de la régularisation s'entend, mais je laisse ce calcul au lecteur fiscaliste. Qu'on me pardonne ici l'accumulation de chiffres, mais mes parents, en ajoutant leurs retraites et revenus, avaient dépensé chaque année plus de trois cent mille euros. Ma mère, qui était déjà très confuse, disait ne rien savoir, être « estomaquée ».

Rappelons, pour la postérité, que cela représentait en 2011 le prix d'un deux-pièces parisien, d'un petit manoir périgourdin (à rénover), vingt ans au Smic, deux fois le revenu annuel d'un chirurgien ou dix jours de salaire du dirigeant d'Apple, voire une pizza Margarita avec supplément roquette chaque jour pendant un siècle. C'était beaucoup.

Chapeau bas : enfin, à ce tarif, Guy le Très Terne accédait au statut de personnage romanesque.

Hélas, les hommes du fisc n'apprécient guère les romans.

— Qui me prouve, me dit l'inspecteur des impôts à qui j'avouai le caractère inexpliqué de la disparition de ces fonds, que votre beau-père ne vous a pas tout simplement donné cet argent en liquide, et que vous ne l'avez pas dissimulé ?

Sa question, on ne peut plus fondée, me prit de court.

— Vous comprenez, insista-t-il, c'est la première chose que l'on peut imaginer, légitimement. C'est d'ailleurs très courant, entre parents et enfants.

Sa dernière phrase fut une révélation : l'idée que Guy aurait pu me léguer son patrimoine, secrètement ou pas, ne m'avait pas effleuré un instant. Je dus convaincre l'agent du fisc que je n'avais jamais songé en voir la couleur et lui démontrer que j'avais organisé ma vie pour ne jamais avoir à dépendre financièrement de lui.

J'avais quelques documents qui l'attestaient : des années plus tôt, incapable de trouver la totalité de l'apport nécessaire à l'achat d'un appartement, j'avais dû me résoudre à demander de l'aide à Guy : il avait accepté de me prêter la somme, tout en me faisant signer une reconnaissance de dettes en bonne et due forme, « pour les impôts ». Il m'avait fallu quatre ans pour lui rembourser cet argent, qui correspondait à ce qu'il dépensait chaque mois. À cette même période, Guy avait légué un studio à mon fils alors âgé de douze ans, afin de réduire le montant de son imposition. Mais il en avait conservé l'usufruit, et donc les loyers, afin, la chose était claire, que je ne les perçusse pas. J'en avais déduit que cette fortune, si elle existait, sauterait au mieux une génération. Tandis que je présentais ces éléments à l'inspecteur fiscal, je crus lire dans son regard une lueur de compassion.

Le fisc se limita, tous comptes faits, à imposer le compte, intérêts et amendes compris, à hauteur de 60 %. Le nouveau riche que j'étais devenu garda le reste, tandis que feignait de dormir en moi, un peu honteux, le trotskiste partageux. Ce dernier eut toutefois la fierté de signer un chèque permettant de rémunérer un instituteur pendant toute sa carrière. « Quand on a du bien, on a du mal », résuma avec philosophie celui qui, à Lausanne, était devenu mon banquier.

Mais comment Guy avait-il dépensé cet argent ? Le jeu, la drogue, le chantage, une double vie, un train de vie exorbitant mais invisible ? Les hypothèses étaient limitées. Je les examinai toutes.

Guy ne jouait pas. Livrer ses biens aux chances du hasard lui eût été insupportable. Jamais il n'était entré dans un casino, jamais il n'avait fréquenté les hippodromes, ni même acheté dans un tabac le moindre billet de loterie. On peut pourtant, dit-on, claquer cent mille euros facilement au Tac-o-tac. Non, Guy était de tempérament précautionneux, timoré : il avait choisi pour la gestion du compte suisse des options de père de famille, préférant un rendement faible à toute alternative comportant des risques. Je me souviens de ses yeux levés au ciel et d'un haussement d'épaules lorsque, en 2001, l'action Apple étant tombée à une irrationnelle vingtaine de dollars, je lui conseillai, s'il avait un peu de fonds, d'investir.

Un Guy drogué faisait sourire. Il ne fumait plus depuis longtemps, sur ordre de sa femme, que cela faisait tousser. S'il consentait à boire, c'était un porto avant le repas, voire un pastis. Il ne buvait pas de vin, ou si peu. Je l'avais surpris lors d'un déjeuner dominical à glisser une sucrette et à ajouter de l'eau dans son verre de haut-médoc, une bouteille que j'avais apportée. Et s'il avait été cocaïnomane, on aurait pu soutenir à son sujet une thèse de médecine : « Un exemple unique de réaction lymphatique à un alcaloïde tropanique : le cas Guy Le Tellier ».

J'imaginais mal sur quoi un chantage aurait pu s'exercer. Une pratique sexuelle inavouable filmée par un indélicat, un meurtre commis dont il y aurait eu un témoin, un enfant caché qui eût menacé de révéler son existence ? Tout cela était réjouissant, mais peu plausible.

La double vie était la meilleure option. Mais une vie double exige d'abord une vie, et Guy me semblait passer le plus clair de son temps à ne pas en avoir. Il quittait peu le domicile conjugal, sinon pour se rendre à la pharmacie où sa consommation de médicaments devait susciter sinon l'admiration du moins l'enthousiasme. À tout instant ou presque, il était joignable sur son portable, et ma mère n'était jamais loin. Que ses mânes me pardonnent si je le sous-estime.

— Les professionnelles ? avait suggéré le banquier suisse, grand amateur de formulations pudiques.

— Les putes ? repris-je plus prosaïquement, histoire à la fois d'être certain d'avoir compris et d'installer un peu de malaise.

— Oui.

— C'est si cher que ça ?

— Je ne sais pas, dit-il avec prudence. J'imagine que ça dépend.

Pourquoi pas, après tout ? Ma mère, avec cette franchise désinhibée qui accompagne la sénilité, avait tenu à me faire savoir qu'elle lui avait interdit son lit voici plus de vingt ans. Elle avait découvert – mais comme toujours avec elle, rien ne le prouvait – qu'il « fréquentait » des prostituées. Juste parce qu'un jour, alors qu'ils se promenaient non loin de l'avenue Foch, il avait désigné une camionnette garée, dont la poignée de la porte arrière arborait un chiffon rouge, signe discret, selon lui, de véhicule aménagé pour le commerce de la chair.

— Tu comprends, il savait, c'est bien la preuve qu'il y allait, me dit-elle sans le moindre doute.

Mais presque aussitôt, et sans crainte de se contredire, elle m'avait raconté que le cardiologue, peu après le triple pontage de son mari et la pose de son pacemaker, lui avait glissé : « Chère madame, un conseil : pas trop souvent, et pas trop fort. »

Guy n'était donc guère le postulant idéal à une vie libertine débridée, fût-ce avec des partenaires rémunérées. Et eût-il payé le prix fort pour des exigences rares ou complexes à la mise en œuvre que – mais je parle hors de toute expérience, cela va sans dire – cela n'eût pas coûté une Porsche tous les trois mois.

Ultime hypothèse, un train de vie caché. Bel oxymore. Si cacher sa richesse se conçoit, comment masquer des dépenses ? Manger du caviar en cachette ? Et si ardeur dispendieuse il y avait eu, où en étaient les traces ?

« Nous dépensions sans compter », m'avoua certes ma mère avec fierté lorsque je l'interrogeai, pour comprendre. Mais rien, à leur domicile, n'avait de vraie valeur. Les centaines de paires de ballerines taille quarante pouvaient bien déborder des placards, les six manteaux en vison de ma mère être coupés sur mesure, et un lifting facial tous les cinq ans ne pas être gratuit, on était très loin du compte. Ils n'avaient pas de loyer, ils roulaient dans une berline française qu'ils changeaient rarement et, s'ils possédaient cette fichue maison de campagne où l'argent s'engloutissait sottement, ils n'avaient aucune vraie charge.

J'en suis venu à imaginer que l'argent rapatrié d'année en année se trouvait encore en France, quelque part. En un lieu connu de lui seul et dont il avait, selon la formule, emporté le secret dans sa tombe.

Guy avait noté sur un bristol format A6, de son écriture scripte si rigide, toutes les informations nécessaires en cas de décès. Il y avait le téléphone du banquier suisse, les références bancaires des différents comptes, livrets et assurances-vie, et même le code de son coffre. Mais en haut à droite au recto du carton, il y avait quatre mystérieuses lettres, écrites en majuscules, en caractères gras et soulignées d'un trait ondulé, HAST.

Cela ne me disait rien. Ma mère ignorait tout, ou avait oublié. Mon fils n'avait jamais entendu le mot même.

J'ai cherché, bien sûr. Le hast est une arme, un javelot, ou une broche pour faire rôtir les viandes, et le mot fait sept points au Scrabble™. C'est aussi une marque de chemises d'homme, mais pas de celles que portait mon beau-père. Une start-up de la mode. C'est le *Hawaii-Aleutian Standard Time*, le fuseau horaire de Hawaii. Le *Higher Ability Selection Test* des écoles secondaires britanniques. La *Hammond Academy of Science and Technology*. L'ancienne déclinaison anglaise, très shakespearienne, du *Thou hast*, tu as.

C'est aussi de l'allemand : *Du hast nie verstanden*. Tu n'as jamais compris.

Effectivement.

XIII

Fragments d'enfance

> « Les enfants une bonne gifle ça a jamais nui. »
>
> Ian Monk, « Avant de naître », *Plouk Town*

J'ai si peu de souvenirs d'enfance que pour écrire ce livre j'ai dû plonger loin pour n'en retrouver qu'une poignée. Pour avoir survécu, ils sont à coup sûr extraordinaires.

La chambre où je dors rue Duhesme est une demi-pièce, car un rideau de mousseline grise la sépare de l'autre moitié qui fait office de salon et où l'on a malgré tout casé un piano droit et deux fauteuils étroits. Mon lit est un convertible pliant rouge, au sommier de mailles en métal, et je n'ai pas conscience qu'il est si étroit. Il y a aussi une commode, un petit bureau, et un cheval à ressort en velours bleu pâle sur lequel je monte et m'agite en tous sens, en me tenant à une espèce de guidon. Le matin parfois, je me lève tôt et je rejoins ma mère et Guy ; ils dorment dans leur drôle de lit-armoire qui se relève pour la journée, puisque la pièce sert également de salon.

Je suis dans le petit dégagement qui sert d'entrée. La moquette est noire et rase, je joue aux billes : je les range en ordre de bataille, les billes en verre sont les alliés, les billes en terre les ennemis coalisés, les gros calots les commandants. Sur la petite télévision en noir et blanc, comme des millions d'enfants au même instant, j'entends le générique de *Bonne nuit les petits*, joué au pipeau, et dont je me moque bien qu'il soit de Pergolèse. Mais je ne veux pas aller me coucher, je crée des mouvements d'encerclement, je suis Léonidas aux Thermopyles, Napoléon à Austerlitz. Je peux jouer ainsi des heures, sans lassitude.

J'accompagne mes parents, ils font les courses, je flâne dans les rayons. Lorsque nous arrivons à la caisse, ma mère présente des bons de réduction pour je ne sais quel produit. La caissière les regarde, lui rend, et l'informe que la date de validité des tickets est hélas dépassée. Ma mère s'insurge, la jeune femme lui explique à nouveau avec patience que l'offre n'est plus valide. Ma mère hausse le ton, et soudain, sans que rien ne l'annonce, elle blêmit de colère et se met à hurler à la caissière qu'elle n'est qu'une « pauvre imbécile » qui a « raté ses études », de qui elle n'a pas à « recevoir d'ordres » ; elle exige de voir le directeur du magasin. Effrayé, je recule d'un pas. « Mais ce n'est pas si grave », ose Guy. « Ah toi, évidemment, toi, bien sûr… », lance ma mère folle de rage, et c'est presque un crachat. Glacé de stupeur, je la contemple qui jette avec violence le contenu du chariot sur le sol, l'orange criard des œufs brisés se répand, elle crie qu'elle ne « reviendra jamais dans ce magasin d'abrutis », elle lance en franchissant la porte un dernier « Espèce de conne ». Mon beau-père la suit en courant, je me retourne, la caissière a des larmes aux yeux, tous les regards sont tournés vers nous, j'ai honte. Nous rentrons, je ne dis pas un mot, Guy marche, penaud, un pas derrière elle, qui tape du pied dans les pneus des voitures en murmurant des phrases incompréhensibles. Je comprends combien ma mère me fait peur, et à Guy presque autant. Je ne suis plus en sécurité, je suis à sa merci.

L'Ami 8 roule dans la nuit, nous rentrons de la campagne et je somnole allongé sur la banquette arrière. Les feux rouges de la porte de Clignancourt rompent le rythme et me réveillent, le bruit asthmatique du bicylindre couvre la conversation de mes parents et j'ouvre mes yeux de grand myope sur les lumières floues de Paris.

J'ai onze ans, je suis à la campagne, c'est l'automne, les flammèches dansent derrière la vitre obscure du gros poêle à mazout. Une pensée me bouleverse : puisque je me souviens désormais de faits antérieurs à ce jour précis, c'est que j'ai un passé, et que donc j'existe. Une sorte de « Je me souviens, donc je suis ». Je décrète que ma vie consciente commence à cet instant. J'ai oublié, ce qui est un comble, quel souvenir en est à l'origine ; peut-être celui de la mort de mon grand-père, quelques mois plus tôt.

Je lis. Beaucoup. *Le Club des cinq, Bob Morane*, puis Jules Verne, Alexandre Dumas, H.G. Wells, et aussi le *Grand Larousse encyclopédique* en dix volumes en cuir vert que j'ouvre au hasard et où je dévore autant l'entrée « Gengis Khan » que celle consacrée à l'« hydrazotoluène ». Jusqu'à l'âge de treize ans, j'ai résisté facilement à l'ennui familial. Je lisais en déjeunant tout seul, je courais lire sitôt le dîner expédié, je lisais la nuit, sous la couverture, avec une lampe de poche. Je lisais aussi chez la libraire.

La libraire. Je n'ai jamais vraiment su son prénom (Suzanne ? Éliane ?) et pas du tout son nom, mais je ne compte pas les heures passées chez elle. Sa boutique était juste en bas de l'immeuble, rue Ordener, minuscule, pas plus d'une douzaine de mètres carrés, elle faisait aussi papeterie. Nous étions parfois jusqu'à trois enfants, assis par terre, à lire, parfois à jouer. Parmi eux, il y avait Jehanne, il y avait son frère Renaud. Ils vivaient dans mon immeuble, au deuxième, leurs parents se disputaient sans cesse, et pour eux aussi, la librairie était un refuge. Un soir, il nous fallait partir et j'ai volé un livre, c'était *La Planète des singes*, de Pierre Boulle. Rentré chez moi, je l'ai posé sur mon lit, mais je me trouvais incapable de seulement l'ouvrir, tant la honte me paralysait. J'avais volé la libraire, j'allais être chassé du Paradis. Je suis descendu le rendre, je pleurais presque, mais elle avait déjà baissé son rideau. Je l'ai rapporté le lendemain, au matin, en bafouillant des excuses. Elle m'a souri, elle m'a consolé. J'ai pu rester au Paradis.

J'étais, je l'avoue, porté sur la science-fiction, américaine surtout. Marabout et J'ai Lu fournirent l'essentiel de ma formation de préadolescent : *Demain les chiens* de Clifford D. Simak me servit de cours de morale, *Des fleurs pour Algernon* de Daniel Keyes me plongea dans le désespoir, *Le Maître du Haut-Château* de Philip K. Dick m'enseigna la potentialité de l'histoire.

Je pourrais avec le plus grand sérieux défendre l'idée que la science-fiction, pourvoyeuse d'univers et de paradigmes, est un formidable chemin vers le questionnement du monde, ce qui peut être une définition de la sagesse.

*

Je n'ai jamais été trop porté sur la religion. À Wallington School for Boys, dans les années soixante, l'Église anglicane se séparait bien peu de l'État, et durant mes primes années anglaises je balbutiais chaque matin sans enthousiasme les cantiques protestants qui inauguraient la journée, une demi-heure avant le début des cours. Nous étions des centaines de garçons, alignés en uniforme noir sur des bancs dans un immense hall, à nous asseoir et nous lever et nous rasseoir et nous relever, avec nos enseignants, au gré d'un rituel changeant dont les tenants et aboutissants m'échappaient. Tout cela ne me convainquait guère. Et j'avais aussi eu du mal avec le Père Noël.

La foi de ma mère était vague. Sa sœur et elle avaient reçu une éducation dans une école catholique, et elle l'avait acceptée sans barguigner. C'était « important » pour son père, et la petite Marceline était tout sauf une rebelle. Mais nous n'allions jamais à l'église, même pour la messe de Noël ; il n'était pas question de prières non plus avant de se coucher, et puisqu'on ne parlait de rien à la maison, la question religieuse ne surgissait jamais dans l'absence de conversation. Toutefois, ma mère considérait elle aussi que c'était « important » pour moi, sans qu'aucun argument, sinon d'autorité, ne fût avancé.

C'est sans doute pourquoi, de retour en France, elle m'inscrivit d'office au catéchisme, dont les sessions se tenaient en fin d'après-midi au sous-sol du collège. J'aimais plutôt ces réunions sous les néons, où l'aumônier avait dit qu'il fallait surtout « ne pas hésiter à l'interrompre à tout instant » pour poser une question, car « ce n'était pas un cours, mais une rencontre avec Dieu et avec la foi ». J'en fus vite exclu, car justement questionneur. J'avais voulu savoir – me répéta ma mère plus tard car je n'en garde aucun souvenir – si Dieu tout-puissant l'aurait été assez, tout-puissant, pour choisir de ne pas exister. Ce n'était pas malice si j'avais inventé ce syllogisme idiot, cette espèce de retournement, non moins absurde, de l'argument ontologique de Dieu par Anselme de

Cantorbéry. J'ai donc protesté contre l'injustice qui m'était faite, mais rien n'y fit : l'aumônier ne voulait plus de moi.

Malgré ce lourd passif, je fis ma communion solennelle : drapé d'une aube blanche, égaré dans une longue procession d'impétrants, je progressais peu à peu vers l'évêque dans l'église parisienne de la Trinité. Parvenu enfin devant le bonhomme, je m'agenouillai avec piété et prononçai distinctement les termes de la phrase consacrée et apprise par cœur. Hélas, impressionné par le décorum et la solennité du moment, je les inversai et je dis en articulant du mieux possible : « Je m'attache à Satan et je renonce à Jésus-Christ pour toujours. » J'ouvris alors grand la bouche pour accueillir l'hostie et je fus béni d'un geste mou par un religieux bien las, qui ne m'écoutait pas avec beaucoup d'attention. C'était en mai 1968. J'allai, quelques jours plus tard, voir les décombres des barricades rue Gay-Lussac et les rues dépavées. Quelques jours encore et mon grand-père mourait de sa leucémie à l'hôpital. Tous ces souvenirs sont vagues, mais la couleur de mon Mai 68 personnel est un curieux mélange de blanc, de rouge et de noir.

Arriva 1969. J'avais douze ans. Si je sais si précisément la date et mon âge, c'est que je construisais une maquette de LEM, le *Lunar Experimental Module*, et qu'elle était posée sur mon bureau, en attente d'être finie. Un LEM, car en juillet de cette même année, j'avais veillé jusque tard avec mes cousins pour pouvoir voir en direct les hommes se poser sur la Lune.

Nous étions à la campagne cette nuit-là, la grosse télévision cathodique noir et blanc diffusait des images floues. Ma petite cousine s'était endormie, et j'avais écouté Jacques Sallebert, l'envoyé spécial de l'ORTF à Houston, commenter les images de la mission Apollo 11. Au milieu de la nuit, à 3 h 56 du matin, Neil Armstrong y avait fait en direct un petit pas pour lui et un pas de géant pour l'humanité. À New York, à presque 22 heures et en plein *prime-time*, l'événement était avant tout le formidable show de propagande qu'il était programmé qu'il fût. Mais en France, et pour un enfant, l'heure tardive ajoutait à l'extraordinaire.

Deux mois plus tard, septembre arrivait et j'entrais en troisième. Mon beau-père avait un nouveau collègue, monsieur Plachet, qui, chose vraiment rare, lui rendait visite. Monsieur Plachet avait entre quarante et soixante ans, large fourchette qui atteste que j'avais bien douze ans, et le décrire aujourd'hui avec précision serait mentir. Monsieur Plachet était surtout témoin de Jéhovah. J'ignore comment et pourquoi cela advint, mais il reçut de mes parents l'autorisation de me rencontrer, et, durant plusieurs semaines, il se chargea de me convertir. Ni ma mère ni mon beau-père n'avaient – je le pense – adhéré à la secte, et cela rend plus extravagants encore ces rendez-vous du mercredi.

Monsieur Plachet me rencontrait seul, contrairement à la tradition. Car, rappelons la blague, les témoins de Jéhovah sont comme les testicules : ils vont toujours par deux, l'un est plus petit que l'autre et ils ont beau frapper à la porte, ils n'entrent jamais.

Brisons le suspens : l'entreprise de conversion fut un échec.

Par chance, de toutes les religions monothéistes issues du judaïsme, celle des témoins de Jéhovah reste l'une des plus cinglées, ne faisant aucune concession au monde réel quand la plupart des autres ont dû bon gré mal gré, sous peine de perdre toute crédibilité, accepter de s'y soumettre – même si Moïse continue à ouvrir les flots de la mer Rouge, Jésus à multiplier les pains et Mahomet à voyager sur un cheval ailé. Monsieur Plachet croyait ainsi vraiment à la création du monde, qu'elle avait eu lieu en sept jours, il croyait au Déluge et à l'arche de Noé, et surtout qu'après le Jugement dernier et la Résurrection, 144 000 personnes choisies par Dieu dirigeraient le monde futur, tandis que le reste de l'humanité, non moins ressuscité, serait à leur service. Je me demande encore aujourd'hui ce que monsieur Plachet pouvait bien enseigner. Les sciences naturelles et l'histoire sont *de facto* exclues, tout comme les mathématiques dont une des branches s'appelle tout de même la logique. Les langues vivantes, le français, l'éducation physique étaient plus conciliables avec l'exercice de sa foi.

Il n'était pas difficile de résister aux fables de monsieur Plachet mais mes débats avec lui n'étaient guère théologiques. Haut de mes douze ans, je bataillais surtout à propos de détails qui me choquaient. La

Terre était vieille de quelques milliers d'années, et les dinosaures avaient vécu avec Adam et Ève au Paradis, où tous les animaux étaient végétariens, même le terrible *tyrannosaurus rex* que j'avais tant de fois joué à faire dévorer mon *triceratops* en plastique. J'étais déçu et sceptique. Ça faisait vraiment beaucoup de canines pour grignoter des carottes.

Entre deux mercredis je lisais la Bible, la Genèse surtout, mais aussi tout ce qui pouvait me tomber sous la main de magazines de vulgarisation, bien plus pour alimenter nos discussions que pour le faire trébucher, et dès son arrivée je l'ensevelissais sous de nouvelles questions. Noé, admettons, avait fait entrer deux par deux les animaux dans son arche. Y compris les kangourous qui venaient d'Australie ? Oui, répondait monsieur Plachet, hésitant. J'avais lu dans la grande encyclopédie *Life* qu'il existait des dizaines de milliers d'espèces de scarabées. Comment avaient-ils bien pu tous entrer dans le bateau de monsieur Noé ? Monsieur Plachet semblait un peu plus ennuyé par cette grouillante invasion de coléoptères. Et l'âge du Soleil ? et le Grand Canyon ? et la forme des vallées glaciaires ?

Monsieur Plachet avait tout oublié de l'école. Pour moi, Dieu n'était qu'un bouche-trou pour ses innombrables ignorances et, pour lui, le diable seul était l'inspirateur de toutes mes satanées devinettes. Cela ne dura qu'un mois, et monsieur Plachet ne revint plus, après une ultime question sur le lac Titicaca dont j'ai oublié l'exacte nature – ma mère m'en reparla souvent par la suite, car il la lui avait répétée, en secouant la tête de désespoir.

J'ai donc été exposé, encore enfant, aux élucubrations d'une secte apocalyptique sans que quiconque se soucie des conséquences. Adolescent, j'ai voulu savoir comment ces rendez-vous avaient été rendus possibles. Mon beau-père a haussé les épaules, comme il le faisait toujours, signifiant qu'une fois de plus ma demande n'avait pas lieu d'être. « Oh, ça ne t'a pas traumatisé », a conclu ma mère, coupant court au débat.

Je dois paradoxalement à l'obscurantisme délirant de monsieur Plachet une passion qui ne m'a jamais quitté pour les mécanismes de l'évolution et du darwinisme, ainsi qu'une colère peu maîtrisable et que je crois fondamentalement enfantine, lorsque j'entends les crétineries des créationnistes. Je lui dois aussi la fascination qui m'est restée pour la Bible, pour la Genèse, le Deutéronome et l'Ecclésiaste surtout, ce poème de sagesse éternelle qui se dit écrit par Qohelet, fils de David, ce texte lancinant que j'ai lu et relu, et qui presque toujours me fait monter des larmes.

« Tous les fleuves vont vers la mer, et la mer n'est jamais remplie. »

XIV

La grande évasion

> « — Tu seras un héros, tu seras général, Gabriele D'Annunzio, ambassadeur de France – tous ces voyous ne savent pas qui tu es ! »
>
> Romain Gary, *La Promesse de l'aube*

Au lycée, je fus un élève moyen, me satisfaisant de ne pas échouer. J'étais et reste d'un naturel paresseux, mais mon cerveau avait tout de l'éponge. De mes facilités pour certaines matières, on aurait conclu à tort que j'y portais de l'intérêt. Je n'étais pas mauvais en langues. Je savais l'anglais depuis mon enfance dans le Surrey, en sixième je commençai l'allemand, en quatrième le russe. Quel que fût le vainqueur de la guerre à venir, je serais prêt à collaborer. Je m'attachai à imiter du mieux possible les accents d'Oxford, de Lübeck et de Moscou, et dans cet acharnement il y avait, je crois, le désir pas si inconscient d'être un autre.

Je fus aussi longtemps « bon en maths », au point d'entreprendre des études dans cette voie. Mais les mathématiques sont implacables : comme un papillon passe-muraille voletant vers la lumière, on traverse une vitre, puis une autre, jusqu'à ce qu'une dernière nous résiste et qu'on sache aussitôt qu'elle résistera toujours. D'autres papillons nous rejoignent à cette frontière insurpassable, et eux la franchissent sans peine. On comprend alors que non, on n'est pas si bon. Que la recherche n'est pas pour nous. Qu'aucun théorème ne portera notre nom. Qu'on sera, au mieux, un passeur médiocre, un pédagogue que l'enthousiasme finira par quitter. C'est la vie, comme disent les Anglais.

Sans me vanter – formule que suit toujours une vantardise –, il fut un cours où je brillai immédiatement : la philosophie. J'y prouvai mon habilité à manipuler le concept, et surtout, j'ai tout de suite aimé ce principe de pressurer la question pour qu'elle donne son jus. « Faut-il perdre ses illusions ? » disait le sujet. Pourquoi « faut-il » ? Qu'est-ce que « perdre » ? Comment définir une « illusion » ? Pourquoi ce pluriel ? Sont-elles vraiment nôtres ? Vraiment j'adorais.

Mon professeur s'appelait Jean-Louis Groma. Il était grand, voûté au point de paraître bossu, un pied-bot le faisait boiter, et son visage était anguleux, sec, presque osseux. Il portait une moustache à la Groucho au-dessous d'un long nez. J'eus pour lui une admiration immédiate, et sans nul doute admirable il l'était, puisqu'il me trouvait plutôt doué. Je découvrais les bénéfices de l'effet Pygmalion, cette prophétie autoréalisatrice qui fait s'améliorer nos performances parce qu'une autorité reconnue croit en nous.

Groma fut ma deuxième figure paternelle, pour user d'une notion analytique, et, oui, son patronyme commençait et finissait comme « Grand-papa ». Le jeudi, son cours était le dernier de la matinée, et je restais souvent afin qu'il m'aide à clarifier des idées confuses. Son diagnostic, en fin de terminale, fut que je risquais de « tourner au vieux virtuose », fine vacherie qui, à seize ans tout juste, me flatta. Malgré tout, il avait demandé à rencontrer mes parents, et il avait insisté pour que je poursuive en khâgne dans cette direction.

Mais ma mère ne voyait de salut que dans les maths. Otage de sa fierté, j'allais triompher là où son père n'avait pu que rêver d'entrer et où son premier mari avait échoué : j'allais tous les deux les venger et réussir Polytechnique. Mais pour y parvenir, il faut vouloir, et vouloir beaucoup. Je voulais peu. J'étais encore un enfant, ce monstre que, comme l'écrit Sartre, les adultes fabriquent avec leurs regrets.

Et cet enfant avait été jusque-là naïf, heureux, et d'une rare docilité envers sa mère, je crois. Ce n'est que tardivement que j'ai commencé à disputer, à raisonner, à l'affronter. Mais très vite j'ai compris que je ne pouvais pas lutter avec elle, que toute contradiction lui était insupportable. Le moindre désaccord remettait en cause notre lien, et – c'est ainsi que je le ressentais – son amour. Terrorisé devant la menace, je ne m'autorisais pas à remporter la moindre victoire, et mon cerveau s'inventa un moyen des plus étranges de ne plus fonctionner.

La bêtise est un symptôme, a dit Françoise Dolto. Ce symptôme s'incarnait chez moi par une longue image, tropicale et crépusculaire : la nuit tombe sur une île du Pacifique, peut-être sur l'atoll des Galápagos. Dans un clair-obscur de lune, une tortue marine géante a émergé de l'océan, elle a rampé avec lourdeur sur une longue plage pour creuser dans la dune un trou profond. Elle y pond des œufs glaireux et translucides. Ses pupilles sont jaunes et humides, elle pleure sous le supplice des larmes de tortue. Puis ses pattes arrière palmées recouvrent de sable les œufs, avec maladresse.

C'est une scène primitive, reptilienne et universelle. L'image de la *mater dolorosa*, de l'accouchement dans la souffrance qui m'a marqué à jamais. C'est une scène que j'ai dû voir dans les années soixante sur la télévision noir et blanc de mes grands-parents, et il devait être tard, ou tard pour un enfant.

Lorsque je me disputais avec ma mère, l'image de ce reptile marin surgissait. Elle venait brouiller tous mes raisonnements, effacer tous les arguments que j'aurais pu trouver. La tortue me protégeait, elle m'interdisait de triompher de ma mère que j'aurais risqué de perdre.

Arriva un matin de février 1974. J'étais entré en maths sup, dans un « bon lycée ». Je m'étais mis, comme elle l'avait tant voulu, à préparer les « grandes écoles », pour devenir « ingénieur ».

Mais ce jour-là, sans que rien n'ait annoncé mon implosion imminente, je n'en peux plus : je ne descends pas à la station du lycée, mais un peu plus loin, à Odéon, et je marche vers le Luxembourg. Cet épisode de ma vie, je l'ai attribué sans vergogne au protagoniste d'un roman antérieur, Thomas. Pourquoi le raconter autrement ? Passons seulement au *je*.

Je longe le long bassin, les statues des reines de France, je m'installe sur une chaise de métal. J'ai sans doute préparé mon escapade : mon sac est plein de livres, il ne fait pas si froid. Le soir, affamé, je rentre chez mes parents. J'ai déjeuné d'une baguette et d'un fruit.

Pour les semaines qui suivent, le Luxembourg devient mon quartier général. J'y rencontre des compagnons de bohème : Manon, qui a mon âge et sèche, elle, sa première. L'odeur du patchouli me la rappellera sans cesse. Kader, un grand homme noir, peut-être la trentaine, guitariste qui officie dans le métro et que j'accompagne parfois : lorsque je fais la manche pour lui, l'association de l'adolescent blanc et de l'adulte noir fait plus que doubler les recettes. S'il pleut, je m'abrite sous un des kiosques, s'il fait trop froid, je m'installe au Malebranche, ce café enfumé où je retrouve des amis khâgneux de Louis-le-Grand. Je discute politique, littérature, je m'engueule sur

Proust, Althusser, Trotski et Barthes, ma véhémence est en proportion de mon ignorance des textes. En les lisant vraiment, plus tard, je rougirai des sottises énoncées, je m'étonnerai de l'impunité de l'imposture.

Mars arrive, puis avril. J'ai averti les enseignants de mon abandon. Mais à ma mère et à Guy, je mens. Je découvre combien c'est facile, excitant même, combien j'ai été à bonne école. J'empeste le tabac ? Je m'emporte contre le stress des fumeurs pendant les « colles ». Je manque d'argent pour déjeuner ? Désormais, la cantine se règle en liquide, je soupçonne l'intendant de prévarication. Par erreur, je rentre trop tôt ? Une expérience d'oxydoréduction a mal tourné et le prof de chimie – « vous n'allez pas le croire » – s'est brûlé. Je n'aurai jamais autant parlé de mes études que de l'instant où j'ai cessé de les faire.

Un soir de mai, à peine de retour chez moi, je brode le roman du jour. Guy m'observe, en silence. Soudain ma mère explose. Ils savent. Le lycée préparatoire a téléphoné : je n'ai pas rendu un ouvrage à la bibliothèque, malgré ma défection voici trois mois. Je n'intégrerai jamais de grande école. Mon ingratitude était décidément totale, à la proportion des sacrifices auxquels ils avaient consenti. Le retour sur investissement, en quelque sorte, était déplorable. L'atmosphère devint de plomb.

Par chance, nous dînions chaque soir chez ma grand-mère et mes parents y faisaient bonne figure. Mais une fois remontés deux étages plus haut, chez nous, ma mère limitait nos échanges à des monosyllabes, Guy voulait lui démontrer son absolu soutien et ne me parlait plus du tout, m'écrasant d'un ostensible dédain. Je filais dans ma chambre et lisais. Cela dura longtemps.

C'était insupportable, et pourtant, quelques mois plus tard, au surlendemain de ma majorité, ils semblèrent totalement pris au dépourvu par mon départ. Je l'avais anticipé de longue date, j'avais un point de chute, chez un ami, j'avais préparé une valise, économisé de l'argent. Ma mère entra dans une rage effarante. Elle jeta mes vêtements et mes livres dans la rue, déchira toutes les photographies qu'elle avait de moi, découpa celles sur lesquelles j'apparaissais pour m'en faire disparaître.

Cela signifia la guerre. Je ne souhaitais pourtant pas la rupture. J'étais désemparé, malheureux, terrorisé de ma propre décision. J'appelais tous les jours ou presque ma grand-mère, pour donner des nouvelles. Mais je ne donnais ni de téléphone où me joindre, ni d'indication sur le lieu où j'habitais.

En ce jour d'avril 1975, je crus néanmoins que j'avais cessé d'être le bien de ma mère, et avoir échappé à sa toute-puissance. J'ignorais encore qu'elle était structurelle et que je ne saurais me soustraire de sitôt à sa sujétion.

Je conserve à jamais le souvenir d'une scène apocalyptique, qui longtemps me fit rougir jusqu'aux oreilles : je suivais un cours de théorie analytique en amphithéâtre 24, à Jussieu, lorsque j'entendis hurler du haut de la travée : « Espèce de salaud ! » Tout le monde se retourna. C'était ma mère. Pétrifié, je la vis dévaler l'escalier telle une furie, devant deux cents étudiants stupéfaits, un instant distraits des domaines de convergence absolue des séries de Dirichlet. Je me levai, tentai de lui échapper, mais elle m'insultait sans trêve, avec des mots nauséabonds, presque incestueux, de ceux qu'une maîtresse abandonnée réserve à son jeune amant, au point que certains de mes condisciples crurent à une rupture amoureuse.

Je parvins à la traîner hors de l'amphi, mais pas à la calmer. J'avais l'impression, comme toujours avec elle, de combattre la Gorgone. Ses cris résonnaient sous la voûte, puis la voix se fit sifflante, haineuse. Les arguments tournant court, elle passa aux menaces. Je ne devais plus jamais prétendre revenir, jamais je ne lui « arracherais un sou », et d'ailleurs, j'étais « déshérité ». Je reculais, pas à pas, sa fureur était un tourbillon noir où je ne voulais pas me laisser engloutir. Puis, toujours hors d'elle, elle partit, m'abandonnant tremblant devant l'amphi, qui commençait à se vider.

De ce jour, je pris soin de suivre les mêmes cours, mais prodigués en d'autres amphis, à d'autres horaires, par d'autres enseignants.

XV

La mort de Piette

« Au bout du chagrin
une fenêtre ouverte,
une fenêtre éclairée. »
Paul Éluard, « Et un sourire »,
Le Phœnix

Je n'ai pas à me justifier de parler de Piette.

Donc, je n'avais pas vingt ans quand je rencontrai Piette. C'était à une soirée où je ne voulais pas aller, un de ces dîners quelque peu vains d'étudiants quelque peu oisifs. Ça buvait trop, ça fumait trop, ça finissait souvent par un poker. Mais au bout de la table, il y avait cette toute jeune femme, Piette, cette fille menue, presque maigre, aux traits fins. Je n'ai jamais su qui l'avait invitée. Elle ne semblait pas connaître grand-monde, elle ignorait la plupart des prénoms.

Ses yeux étaient verts, l'iris cerclé de gris, sa peau était mate, sa tempe gauche était barrée d'une cicatrice courte et délicate, un croissant de lune minuscule et brillant comme une trace de laque. Elle portait ses cheveux noirs coupés très courts. Je ne sais pas si elle était mon genre, mais elle a défini pour les années à venir ce qui l'est devenu. « Approchez-vous de cette femme, disait André Breton, et demandez-lui si la lueur de ses yeux est à vendre. » Je n'ai pas eu ce cran.

Par touches vives, comme on guide à la baguette un troupeau d'oies, Piette dirigeait la tablée. De temps en temps, elle lançait une idée, parfois joliment absurde – « Si je vous dis de ne pas penser à un éléphant, à quoi pensez-vous ? » –, puis laissait les invités disputer. Elle leur coupait sans hésiter la parole dès qu'ils risquaient de devenir ennuyeux. Elle riait et elle faisait rire, elle était joyeuse et tragique, elle m'enthousiasmait et m'inquiétait à la fois. Elle marchait sur un fil.

Jamais le regard de Piette ne se posait sur moi. Un roux à taches de rousseur – j'ai souvenir d'un géant – l'accompagnait. Un Danois avec un fort accent. De temps en temps, il l'embrassait, il lui prenait la main avec gaucherie, comme pour s'assurer de sa possession. La soirée avançait, il y avait de la glace à la vanille au dessert. Soudain, elle lui murmura quelque chose à l'oreille, il prit un air stupéfait, mais elle fronça les sourcils, ajouta juste un mot, et il se leva brusquement de la table, quitta la pièce. La porte claqua. Il y eut un court blanc à table, des regards échangés, Piette claqua des mains, dit « Il y avait quelque chose de pourri dans le royaume d'*et cætera* », et la conversation reprit. Je compris qu'elle venait de le congédier. J'exigeai que l'on partageât la coupe de glace du Danois, et elle me sourit enfin.

Piette habitait un grand trois-pièces, près du jardin des Plantes, pied-à-terre d'un riche et jeune Australien dont elle avait été la maîtresse, et qui était retourné vivre à Londres depuis des mois. Cela me parut très exotique. Quand nous arrivâmes sur son palier, il y avait une enveloppe sur le paillasson. Des clés étaient à l'intérieur. Elle haussa les épaules : c'étaient celles du Danois. Elle me les tendit : « Tiens, tes clés. » Je crus que je serais son nouveau Danois. Ce ne fut pas le cas.

Avec Piette, je découvris la maniaco-dépression, le trouble bipolaire. Les phases hautes, où rien ni personne n'aurait su triompher de sa toute-puissance, et les périodes basses aussi, où j'avais peur pour sa vie. J'acceptai sa maladie, c'était elle, j'acceptai les symptômes, avec la valisette de benzodiazépine et de nitrate de lithium. Un jour, elle m'avertit :

— Ne m'en veux jamais de ce que je dis ou de ce que je fais quand je suis *down*. Tu ne m'en voudrais pas si je vomissais parce que j'ai mal au ventre. C'est pareil. C'est mon cerveau qui est malade, pas ma pensée.

Piette appréciait peu mes amis. Trop militants, trop certains du roulement d'un monde trop lisible. J'acceptai vite ses réticences, et du jour au lendemain je les vis moins, puis presque plus. J'aimais la vie avec Piette, d'abord parce que j'aimais Piette. Il y avait avec elle bien plus de vingt-quatre heures dans un jour et une nuit, et nous les passions à la Cinémathèque, à lire à haute voix de la poésie et à faire l'amour. Piette emplissait chacune de mes journées, j'étais sous son enchantement.

Elle me présenta aussitôt à ses parents, Daniel et Claire, à son grand frère André, à sa sœur Alice, tous unis autour d'elle contre la maladie. Une fois de plus, je m'étonnais de la chaleur familiale, de la complicité, de l'évidence. Ce n'était pas seulement la fascination d'un fils unique pour les plaisirs de la fratrie. C'était la simplicité gaie qui régnait chez eux qui m'était étrangère, cette joie d'être ensemble que, tout jeune, j'avais découverte lors de visites à des camarades de classe. Parfois, je les questionnais sur leur vie, je me projetais dans leur bonheur, j'imaginais mon existence chez ces étrangers si souriants, si ouverts. Je me soupçonnais de m'illusionner qu'ailleurs, l'herbe fût vraiment plus verte. Souvent elle l'était.

On prit le café. J'étais à la cuisine, en train de rapporter les assiettes et les verres, sa mère me prit les mains et les serra, très fort. Elle dit : « Merci, merci. » Je crus qu'elle me remerciait pour l'aide au service, mais elle ajouta :

— Vous êtes quelqu'un pour elle.

J'ai lu dans ses yeux qu'elle espérait que je la sauve, et sa foi nouvelle et naïve me laissa croire que je le pourrais. Je retournai m'asseoir à côté de Piette, qui riait, de ce rire enroué, incroyablement sensuel, que je n'ai retrouvé chez personne.

Ce jour-là, la famille de Piette m'adopta.

Nous n'étions ensemble que depuis quatre mois quand Piette est tombée enceinte. C'était imprévu bien que prévisible, ou prévisible bien qu'imprévu. En tout cas c'était bien. Je n'avais pas vingt ans et j'étais surpris d'être aussi prêt. Piette, elle, n'avait aucun doute. Au déjeuner du samedi, on annonça sa grossesse à ses parents. Claire pleura d'émotion. On déboucha le champagne, Piette n'en but qu'une goutte.

Piette était heureuse, ce fut un déjeuner joyeux, elle voulut sortir l'album photo, on regarda ensemble son enfance défiler dans les polaroïds. La famille à la plage sous le parasol, Piette pleurant à grosses larmes – une méduse l'avait piquée –, André et Piette tellement fiers sur leurs skis, tous les enfants déguisés pour une fête – Piette était Fantômette. Sur l'une des photographies, un gâteau rose, orné de cinq bougies : des paillettes de chocolat dessinaient les six lettres P, I, E, T, T, E, pas si maladroitement.

C'est à quatre ans que Rebecca Cohen cessa de porter son prénom pour devenir Piette. On avait lu à la petite Rebecca un album dont l'héroïne s'appelait Miette, une histoire boulangère et symbolique impliquant de longues baguettes et des gros pains ronds dont le détail importe peu. La fillette se tourna vers sa mère, décidée : « Je veux qu'on m'appelle Piette, maintenant. » Claire tenta d'expliquer qu'un prénom était choisi pour la vie, mais devant l'entêtement de l'enfant, préféra ne pas insister, persuadée que ce caprice passerait. Mais en quelques mois, Piette convainquit son monde, refusant de répondre si on persistait à l'appeler Rebecca. Le prénom en lettres de chocolat sur le gâteau actait son triomphe.

Je possédais à l'époque un vieux reflex, un Zenit russe lourd comme une enclume. Je n'étais pas bien doué, je n'aimais guère le cliché-souvenir – j'étais un « artiste », comme tout le monde –, mais, encouragé par l'épisode de l'album, je faisais photo sur photo, une moisson d'images, pour moi, et pour cet enfant à venir dont nous ne voulions pas savoir le sexe. Je les accumulais, sans trop savoir quoi en faire, dans une boîte en carton : Piette assise sur une chaise contemplant avec une jolie grimace ses seins désormais si pleins, son ventre, qui s'arrondissait, Piette promenant ses longues jambes dans la cuisine, drapée dans une de mes chemises, Piette en robe de laine sage, sur un banc de square, lisant *Charlie Hebdo*, Piette nue sur le lit, un drôle de chapeau de feutre sur la tête. C'était, comment dire, très « Godard ». Parfois, lorsque je trouvais une photo à la fois pudique et réussie, j'en faisais un tirage pour Daniel et Claire.

Dans une absurde symétrie, je décidai de présenter Piette à ma mère et mon beau-père, sans enthousiasme. Ils allaient être grands-parents, l'entrevue me semblait inévitable. J'étais parti depuis près de deux ans, nos entrevues étaient glaciales puisque, la chose était entendue, j'étais un salaud.

Ils proposèrent un déjeuner à la brasserie La Lorraine, place des Ternes. Un lieu impersonnel et trop cher, où je détestais aller. Nous nous y retrouvâmes, et aussitôt ma mère fit répéter son prénom à Piette.

— Piette, répéta Piette.

Elle ajouta :

— Je l'ai choisi quand j'avais quatre ans.

— Et votre vrai prénom ? demanda ma mère.

— C'est mon vrai prénom, répondit Piette.

Ma mère, agacée, ne put s'empêcher de hausser les épaules, le geste était imperceptible, mais rien n'échappait jamais à Piette. Instinctive, elle n'aima pas ma mère, et trouva mon beau-père significativement insignifiant. Ma mère la détesta tout de suite. Les plats se succédaient, les questions banales prouvaient que personne n'était curieux de personne, j'avais hâte d'en être au café et nous partîmes vite, sans avoir évoqué l'enfant qui était en route. Ce serait pour une autre fois.

Au premier jour du printemps, comme ils le faisaient chaque année, les parents de Piette réunirent leurs proches à La Noche, leur maison de vacances à Séguret, au sud de Vaison-la-Romaine, et c'est bien plus tard que je m'aperçus que *Noche* était l'anagramme de Cohen. Piette y avait organisé nos « fiançailles » : elle annoncerait officiellement à tous qu'elle attendait un enfant. Mais je n'invitai presque personne, et surtout ni ma mère ni mon beau-père. Piette m'évita de me justifier auprès de Claire et Daniel :

— C'est juste entre nous, maman, nous serons à peine une douzaine.

— C'est tellement dommage, regretta tout de même Claire, c'est l'occasion.

Il n'y en eut pas d'autre.

Piette était enceinte de quatre mois quand elle se jeta sous un train. Une heure plus tôt, elle était sortie de l'hôpital, en banlieue ouest, elle avait demandé à y entrer trois jours avant car la phase *down* était trop forte, et les médecins avaient estimé qu'elle était suffisamment rétablie pour sortir. Elle avait laissé un message sur le répondeur, que j'eus bien plus tard : « Viens me chercher, vite, je t'aime. » Je n'étais pas allé la chercher.

Le centre de soins m'annonça son décès, la police avait déjà contacté Claire et Daniel. Je partis les retrouver, en taxi, et m'aperçus en route que je n'avais pas d'argent pour payer la course. Je descendis en m'excusant, sous les insultes du chauffeur. Quand j'arrivai, nous échangeâmes deux mots, pas plus. Et deux jours durant, je restai avec eux, chez eux. Rentrer chez moi, chez nous, rue Lacépède, m'était impossible. Je me souviens de peu de choses, des bruits de la rue dans le silence de l'appartement, d'une omelette aux champignons mangée dans la cuisine avec André, de deux nuits sur le lit d'appoint, d'une dizaine de Maigret lus jusqu'à ce que le sommeil m'abatte, pour quelques heures.

L'enterrement eut lieu le surlendemain.

André, le frère de Piette, me donna une kippa, sa mère déchira ma chemise à hauteur de mon cœur ; j'avais les yeux presque secs jusqu'à ce geste énorme auquel je n'étais pas préparé. Mes larmes jaillirent et je dus m'isoler de longues minutes pour me dominer.

J'ignorais tout des coutumes judaïques, Piette n'en respectait aucune, adorait le saucisson et se moquait bien du jour du shabbat. J'avais répété les rituels à la hâte et je m'y perdais. J'étais gauche, encombré de moi-même. Sans cesse, il fallait que Daniel me guidât dans mes gestes, me signalât où je devais me placer. J'avais honte de mon ignorance, je craignais à tout instant de rompre par maladresse la dignité de ce moment. J'étais une sorte de Rabbi Jacob, dans une version juvénile et pathétique, et sans les intermèdes dansés. Je jetai une pelletée de terre sur le cercueil, juste après son frère, qui me montra qu'il fallait que je replante la pelle dans la terre meuble, et non que je la passe. J'ai su des années plus tard que dans ma situation, puisque nous n'étions pas mariés et que je n'étais pas juif, c'était une forme de tolérance autant qu'une marque d'affection.

Je n'avais pas imaginé un instant de demander à ma mère et à Guy de m'accompagner à l'enterrement. Guy aurait pris cet air fermé de circonstance qui masque efficacement l'indifférence comme la bêtise, et la tristesse de ma mère aurait été si feinte, si visiblement fabriquée qu'elle m'aurait fait honte. Je n'avais besoin que de vérité.

Je craignais aussi que quoi que j'eusse pu lui dire, elle n'apportât des fleurs.

À la fin de la cérémonie, la mère de Piette me serra dans ses bras :

— C'est fini. Merci d'avoir été là. Je veux dire : pas seulement maintenant. Avant, pour elle.

Elle ajouta :

— C'est mieux ainsi, tu sais. Ça serait forcément arrivé. Plus tard. Bientôt.

Et aussi :

— Ne disparais pas tout de suite de nos vies, s'il te plaît.

Elle ouvrit son sac et me tendit un petit paquet enrobé dans un papier de soie. Je l'ouvris. C'était un couteau suisse pour enfant, rouge vif avec sa croix blanche.

— Tiens, me dit Claire, prends-le. C'était celui de Piette quand elle avait six, sept ans, c'était le seul couteau avec lequel elle consentait à couper sa viande et à manger. Je lui disais toujours qu'il faut manger pour vivre. À toi, je te dis simplement qu'il faut vivre. Dans un an, pour l'anniversaire de la mort de Piette, tu viendras. Et je veux qu'à cette époque tu aies une nouvelle amie, tu entends. Tu as vingt ans. Il faut vivre.

J'ai déplié puis replié la lame, longtemps regardé l'écusson suisse : Claire m'avait offert ma croix à porter. J'ai glissé le couteau dans ma poche.

J'ai suivi ses conseils, j'ai vécu.

Mais d'abord, j'ai écouté, jusqu'à ne plus pouvoir respirer, la voix de Piette sur son dernier message. J'ai brûlé, bien plus tard, toutes les photos que je conservais de Piette, et jeté aussi le carton, par superstition je le crains. Je n'en ai gardé qu'une, où elle était dans un bain moussant, allongée sur le ventre, un pied seul surgissant de la mousse, un tout petit tirage noir et blanc, mat, 7 × 10 cm, qui m'a accompagné longtemps, dans mon portefeuille. Et un jour, j'ai perdu le portefeuille.

J'ai aussi fini par perdre le couteau suisse.

C'est le destin de toute relique. Être vénérée ou égarée.

Le lendemain de l'enterrement, je décidai d'annoncer la mort de Piette à ma mère. Je dis bien à ma mère, car de mon beau-père, je n'attendais pas grand-chose d'autre qu'au mieux une phrase convenue. Je sonnai chez eux, à l'improviste. Ma mère m'ouvrit, fut surprise de me voir, presque inquiète. J'entrai. Je m'assis dans un fauteuil. C'était un fauteuil Pompadour revisité par le cubisme, au velours bleu ciel surchargé de motifs, avec pompons et frises, comme en produisaient les années soixante-dix. Ma mère s'installa en face, dans un canapé de même acabit.

Je dis simplement :

— Piette est décédée.

— Piette ? demanda ma mère en fronçant les sourcils.

Le ton de la question ne disait pas la stupéfaction, mais l'incompréhension. Elle avait vraiment oublié qui était cette Piette. Je précisai donc :

— Piette. Mon amie. Nous avions déjeuné. Elle est morte. Elle s'est suicidée.

Ma mère hocha la tête. Elle dit :

— Ah oui.

Cela lui revenait. Elle ajouta :

— Elle avait tout de même un drôle de prénom.

Désarçonné, je ne sus quoi répondre. Je regardai le décor autour de moi, les fauteuils de velours, la peau de vache pie posée sous le piano laqué noir, les bibliothèques aux livres sous verre, les rideaux de soie lourds et tombants.

Mon beau-père, toujours debout, ne disait rien, il semblait fixer la poussière sur le piano. Soudain, il s'approcha de moi et glissa à voix basse :

— N'oublie pas de fêter son anniversaire à ta mère. C'était il y a trois jours, et bien sûr, tu as oublié.

J'avais désormais un moyen infaillible pour me souvenir du jour de la mort de Piette.

Je restai silencieux, me levai, demandai à boire un verre d'eau, et me dirigeai vers la porte. Pour tout avouer, les souvenirs que je garde de ces courtes minutes où je pris congé d'eux sont très imprécis.

« Tu pars déjà ? » a dû dire mon beau-père, fâché que je ne sois passé que pour cela, que j'aie oublié ce fichu anniversaire. Il a dû aussi me proposer de déjeuner avec eux.

Sur le palier, j'appelai l'ascenseur, par habitude. Mes parents se tenaient sur le pas de la porte. Je ne l'attendis pas et descendis par l'escalier, pour ressentir sous mes pieds chaque marche des huit étages. Ma tête tournait.

Je m'en voulais d'être passé. Je ne ressentais aucune colère, sinon contre moi-même. La phrase de ma mère m'avait éclairé. Je n'étais venu que pour être plaint. Je cherchais de l'apitoiement, des condoléances.

Je compris que j'étais complaisant avec moi-même. Que je voulais endosser le costume noir et glacé du jeune veuf, que je jouissais de ce plaisir « astucieusement savouré », fait de « cela même dont on souffre » dont parle Pessoa. J'eus honte de moi, je me sentais sale, misérable. Un vrai salaud, pour une fois.

Le très sage Jaime Montestrela a écrit : « Pour le peuple hatu, qui habite le haut plateau de Guadjapaja (Mexique), à l'occasion de deuils cruels, la phrase "Je partage votre douleur" n'est jamais une métaphore. Chacun en prend sa part, et il arrive même qu'il n'en reste rapidement plus pour celui ou celle qui devait souffrir. »

Je n'eus plus envie de partager ma douleur, avec personne.

Je sortis de l'immeuble et je m'installai à une table dans le premier café venu. Je commandai un café noisette. Piette en prenait toujours.

Il m'a fallu des années, des décennies plutôt, pour parvenir à parler de Piette, à évoquer sa mort. Je n'ai été capable de le faire que le jour où j'ai su que je ne quémandais plus de la compassion, et que le temps de la tristesse était passé.

J'ai regretté, ce jour-là, d'avoir perdu le couteau suisse.

XVI

La guerre et la paix

> « Comment j'peux être si réussi
> Alors que j'suis au bout d'un pareil pedigri ? »
>
> Jacques Jouet,
> *Mek-Ouyes chez les Testut*

Bien sûr, j'ai tenté de faire la paix avec ma mère. Certaines guerres exigent trop d'énergie. Tout armistice était impossible, il lui fallait la capitulation du rebelle.

Le chantage au porte-monnaie est l'arme nucléaire des conflits parents-enfants. Mais j'avais prémédité mon escapade et je m'étais organisé pour survivre : des années plus tôt, après la mort de mon grand-père, les Noëls familiaux étaient devenus l'occasion d'une étrange cérémonie d'échanges d'enveloppes blanches. Les trois enfants, ma cousine, mon cousin et moi, recevions bien moins de cadeaux, mais un peu d'argent, accompagné de la phrase rituelle : « Tu t'achèteras ce que tu voudras. » En toute logique, chaque enfant aurait dû recevoir autant, mais ma mère avait un tout autre raisonnement et avait fait remarquer à Raphaëlle qu'elle n'avait que moi pour enfant, tandis que sa sœur en avait deux. En conséquence, ma tante, soucieuse d'éviter une dispute, me donnait le double de ce que mes cousins recevaient de ma mère. Noël était devenu une sorte de jeu familial de redistribution à somme nulle. Je ne profitais guère de cet avantage compétitif, puisque cette somme était aussitôt déposée sur un compte épargne. Et un jour, tout fut investi dans un box, qui « rapportait » car il était loué.

Le jour de mes dix-huit ans, j'ouvris un nouveau compte bancaire, et j'y virai toute mon épargne. Je n'avais pas oublié ce box : je récupérai l'acte de propriété, j'avertis le locataire. Je n'étais pas très fier de ce hold-up au butin plutôt dérisoire, mais il me sauva la vie durant plusieurs mois.

Hélas, j'avais beau séjourner chez les uns et les autres, donner des cours de maths, exercer brièvement quelques métiers exotiques et souvent nocturnes – auxiliaire à la morgue de Cochin, flasheur à *Libération* à la glorieuse époque de la rue de Lorraine, gardien de nuit en clinique psychiatrique, réceptionniste d'hôtel… –, peu à peu mon trésor s'épuisa.

Les mathématiques exigeaient du travail, je ne m'imaginais guère autre chose qu'enseignant, et il me fallut un jour me rendre à l'ennemi afin de négocier le financement de mes études. Ma mère accepta, mais elle choisit l'humiliation : à chaque visite dominicale, elle me donnait un peu d'argent, à peine de quoi tenir la semaine, afin que je revienne mendier. Je n'étais plus son fils, elle faisait de moi une espèce de gigolo vénal et ingrat, un bourreau dont elle était la victime.

Ce chantage n'était pas un bon calcul : en m'abaissant elle s'abaissait elle-même ; en me faisant honte de moi, elle ne me laissait d'autre choix que l'éloignement.

Nos rapports restèrent d'une grande violence.

Un dimanche, à la suite d'une dispute dont j'ai oublié les raisons, elle me chassa de chez elle. J'attendais sur le palier, elle était à la porte, avec Guy derrière elle en soutien logistique et moral, et je voyais sa fureur monter, incontrôlable. L'ascenseur arriva, elle se précipita sur moi alors que la porte se refermait, mais, ne pouvant m'atteindre de la main, elle me donna un coup de pied. Je fus si surpris que je restai quelques secondes interdit, et l'ascenseur démarra. Dans la solitude de la cabine, je commençai par rire. Puis un froid intérieur me saisit, et aussitôt une colère sans limite. Du poing, je frappai le mur de métal ; la paroi resta déformée des années durant.

Pendant des jours, elle me laissa des messages d'insultes sur le répondeur. Parfois, ce n'était qu'un « Salaud ! », ou un « Meeeerde ! » hurlé à pleins poumons. J'imaginais Guy, non loin d'elle, malgré tout embarrassé, et qui, devant une telle démesure, devait tenter de la calmer.

Je n'avais que vingt-deux ans, j'étais à bout. Je lui écrivis une lettre qui se voulait de conciliation :

Maman,

Je ne sais pas pourquoi nous sommes toujours amenés à nous disputer, mais j'aimerais tellement que cela ne se produise plus.

D'abord parce que tes reproches me rendent malade de culpabilité. Ensuite et surtout, parce que, contrairement à ce que tu crois, je suis chaque fois malheureux de t'avoir peinée. Hélas, comme tu agrémentes toujours tes insultes de menaces, je désespère de te répondre, ne voulant pas que tu t'imagines qu'elles auraient porté leurs fruits.

Maman, je t'aime. Je ne sais pas te le dire, tu diras que je ne sais pas non plus te le montrer, mais chacun de tes accès et excès de fureur me brise, pour longtemps. Je ne saurais pas faire la liste de tout ce que tu me reproches. Je ne sais même plus ce que je devrais faire pour ne pas être ce salaud que tu détestes désormais. Tu crois que je ne souffre pas, que je ne suis qu'indifférence. J'ai seulement une autre manière de souffrir que toi. J'ai bien plus besoin de toi que toi de moi. Tu as existé avant moi, tu n'as pas toujours été ma mère. J'existe grâce à toi et j'ai toujours été ton fils. Une femme est forcément plus forte qu'un homme, une mère plus forte qu'un fils. Si je te fais du mal, ne doute pas que tu sais aussi m'en faire.

Tu crois que je te repousse. Je ne te repousse pas. Je te résiste, comme tous les enfants le font, et si j'ai un jour un fils, une fille, il ou elle me résistera, quand l'heure sera venue de s'opposer. Je ne t'écris pas pour te reprocher quoi que ce soit, ni pour faire la liste des différences, des désaccords, des incompréhensions, mais simplement pour faire la paix, ou essayer de commencer à faire la paix.

Je me trouve face au mur de ta colère, de ta haine même, et j'en souffre. Je ne sais plus comment le faire tomber.

J'ai toujours l'impression que tout ce que je vais te dire va se retourner contre moi. Alors, essaie de ne pas lire cette lettre à l'envers, ni de la détourner de ce qu'elle tente de te dire.

Et embrasse papa pour moi. Assure-le de mon affection.

Quelques jours plus tard, je reçus un courrier où je reconnus l'écriture de ma mère. L'enveloppe indiquait : « Monsieur Hervé Le Tellier », ce qui m'étonna. À l'intérieur, il y avait une centaine de confettis de papier. C'était ma lettre, déchirée en petits morceaux.

Je fus anéanti. Je comprenais que pour elle, cette déclaration était sans valeur. Lorsque j'avais huit ans à peine, elle avait tranché que j'étais un ingrat, décrété que je ne l'aimais pas. Rien n'était plus faux. Sa voix était pleine d'une colère froide et j'avais pleuré. Elle me l'avait répété encore et encore, et fini par avoir raison.

En postant cette lettre, j'espérais une réponse douce qui me donne la force de retrouver cet amour de petit garçon à jamais perdu. Mais vouloir aimer, c'est tout sauf aimer. Par cette ultime déclaration, je n'aspirais peut-être au fond qu'à une chose : que sa fureur retombe, pour obtenir un peu de répit. Alors oui, ce très veule « Maman, je t'aime » méritait sans doute cette insulte en confettis.

Je n'ai plus jamais écrit à ma mère.

Je n'ai pas rompu avec elle, je me suis contenté d'espacer nos rencontres. Je ne me glorifie pas de cette lâcheté. J'ai accepté de me sentir coupable et de me comporter comme tel, tout en soupçonnant que je ne l'étais en rien.

Les années passèrent, et nos différences ne cessèrent de s'affirmer. Je m'éloignai d'elle, comme on tient à distance un bâton de dynamite ; elle ne fit pas un pas vers moi. Avec Guy, qui la suivait en tout, mes relations conservèrent leur tiédeur polaire. Enfin, la technologie des répondeurs évolua, mais tous eurent droit à d'autres « Salaud ! », à d'autres « Merde ! ».

Et je me mis à écrire.

Ma mère s'efforçait d'en paraître fière, et mon beau-père aussi, affichant moins de mépris pour moi que je n'en cachais pour lui. Après tout, à chaque nouveau livre, son patronyme était sur la couverture.

Pourtant, en trente ans, ni lui ni elle jamais n'en lurent un seul, jamais ils n'assistèrent à une lecture, et ils ne vinrent pas plus au théâtre voir une de mes pièces. Je n'en ai pas été blessé : ils ne lisaient rien, ne sortaient pas, et mon œuvre, pour admirable qu'elle soit, n'aurait su changer leur nature.

Auraient-ils aimé mon travail que j'en eusse au mieux été perplexe, et au pire, chagrin.

L'écriture n'était pas ce à quoi ma mère me destinait, et elle souffrait dans son orgueil d'avoir sans cesse dû revoir à la baisse ses prétentions de carrière pour moi. Elle ne se résigna toutefois jamais : un doctorat passé tardivement trouva grâce à ses yeux, et qu'il fût en linguistique était secondaire. Elle ne cessait d'ailleurs de me demander « en quoi » il était, et je penche pour une indifférence vraie plus que pour un effet précoce de sa maladie. Je finis par répondre n'importe quoi : biologie moléculaire, macro-économie de la santé, astrophysique des particules, m'attirant de Guy un regard noir. J'étais de toute façon docteur et seul le titre comptait. Aujourd'hui encore, à chacune de mes visites à l'Ehpad, elle me glisse :

— Surtout, dis bien aux infirmières que tu es docteur, ça les impressionne.

*

« Honore ton père et ta mère, afin que se prolongent tes jours sur le sol que Yahvé t'a donné », dit l'Exode, chapitre 20, verset 12, et redit le Deutéronome au chapitre 5, verset 16.

Toutes les traductions restent imprécises. Pour « honore », les dictionnaires de synonymes proposent « célèbre », « glorifie », « respecte », « adore ». Mais le texte n'exprime pas une morale comme un citron son jus, il n'y est question ni d'amour ni de respect. L'hébreu *kavod* (כבוד) a la même racine que l'adjectif *kaved* (כבד, « lourd ») et signifie prosaïquement « porter le poids », « soutenir ». « Tu supporteras ton père et ta mère », donc. Un commandement de Yahvé indiscutable, une *mitsva* venue d'un monde sans retraite ni sécurité sociale.

Je supporte désormais ma mère.

Matthieu (15, 4) dit que celui qui maudira son père et sa mère sera puni de mort. Mais Matthieu exagère toujours, c'est un gars du genre exalté, et de toute façon, ma mère m'a trop maudit pour que je trouve l'énergie de lui renvoyer la balle.

Les dernières années l'ont vue sombrer dans la folie. La présence de Guy à ses côtés avait permis d'occulter la progression de la maladie d'Alzheimer. Il y avait certes eu des indices : son incapacité à utiliser un ordinateur ou à se servir d'un nouveau téléphone, qu'elle masquait par un désintérêt affiché ou par un agacement devant la nouveauté.

Mais dans la semaine qui suivit la mort de son mari, je compris la réalité de la démence, et combien elle allait dévorer mon temps. J'accédai au statut d'« aidant », et ce n'est pas le lieu ici d'expliquer combien rien n'est prévu pour secourir les proches des malades. Je ne souhaite pas non plus décrire sa lente dégradation, les soucis quotidiens, de la perte du portefeuille, que la mère de mon fils lui avait « volé », à la disparition de la télécommande de la télévision, qui avait été « cachée ».

Ce déclin intellectuel augmenta son angoisse et sa paranoïa : elle se mit à m'appeler plus de cent fois par jour, laissant chaque fois un message. Souvent pour m'insulter, mais souvent aussi pour m'insulter, car elle avait oublié qu'elle m'avait insulté. Le répondeur de mon opérateur rendait l'âme rapidement, saturé par des heures de messages. Je ne décrochais plus, n'écoutais plus, me contentais d'appeler régulièrement pour l'apaiser, ne commençant à m'inquiéter que si une demi-journée passait sans qu'elle n'en laissât un.

Un jour, elle me demanda si son père était mort, et quand. Je lui répondis que c'était il y a près de cinquante ans ; elle me dit, avec méchanceté :

— Pourquoi me racontes-tu de telles saloperies ? J'ai vu papa hier.

Vint le moment où elle se mit à arrêter les gens sur la chaussée afin qu'ils me contactent ou m'envoient des textos. Nos échanges étaient improbables et l'orthographe fluctuait au gré des interlocuteurs :

— Votre mère à essayer de vous joindre. Appeler la.

— Je vous remercie de votre message. Je vais l'appeler. Mais sachez que je l'ai eue déjà deux fois ce matin…

— Ah elle m'a dit vous cherchez depuis hier soir.

— Eh oui. Et je l'ai eue aussi entre huit et dix fois hier.

— Ah désolé. Je l'ai croiser dans la rue moi.

Le corps ne la trahissait pas : tel un canard sans tête, elle marchait des heures dans la rue, sur un circuit toujours identique, aux étapes balisées.

Dans la même journée, elle entrait une demi-douzaine de fois à la banque pour tirer du liquide, dix fois chez le traiteur pour exiger qu'ils m'appellent car elle n'avait « plus d'argent pour manger ». Elle devint la terreur des voisins de l'immeuble chez qui elle sonnait à toute heure, du concierge réveillé dans la nuit et qui n'en pouvait plus. La police devint aussi mon interlocuteur régulier.

L'internement thérapeutique fut vite l'unique solution. Puis, après un sas médicamenteux, l'établissement spécialisé.

Ma mère voulait partir, rentrer chez elle, bien qu'elle eût oublié où elle habitait et qu'elle ne retrouvât même plus sa chambre. La laisser seule un instant était devenu impossible, mais il lui restait des arguments :

— Les gens sont si cons, si tu savais, ils ne savent pas ce qu'est un verbe et ce qu'est un complément.

Afin de rendre la transition moins pénible, j'avais apporté une commode, un récamier venant de son ancien appartement. Quelques ivoires aussi, dans une vitrine sous clé. Comme pour un batracien en vivarium, je reconstituai son habitat. J'avais aussi récupéré des photos : ses parents, mon fils, moi, et même Guy, qui devait à la progression de la maladie une espèce de retour en grâce.

Un dimanche que je lui rendais visite, je n'aperçus plus les portraits.

— Elle les a tous déchirés, me dit l'infirmière, navrée. En tout petits morceaux, nous n'avons pas pu les récupérer.

Je ne comprenais pas. Elle aimait tant ses parents.

J'ai d'abord pensé qu'elle souffrait trop de revoir leur visage, alors qu'ils n'étaient plus.

Puis j'ai compris qu'elle leur en voulait : non seulement les vivants avaient déserté, mais les morts eux-mêmes l'avaient abandonnée.

XVII

Le vieux couple

> « Amour. À proscrire complètement. Il ne va jamais sans émotions. Les émotions nuisent à la régularité. »
>
> Alexandre Vialatte,
> *Chroniques de La Montagne*

C'était le dernier été où ma mère pouvait encore rester seule, où la maladie n'imposait pas une surveillance constante.

Elle et moi déjeunions une fois de plus au Wepler. La brasserie de la place de Clichy est un de ces établissements où les serveurs savent être à la fois familiers et respectueux, prévenants et discrets. Le lieu s'y prête. Henry Miller, Boris Vian y avaient leur table, Jacques Roubaud y prenait parfois son petit-déjeuner. En hiver, sous la pluie, la place se donne des allures de tableau de Caillebotte. Les fiacres ont disparu.

Nous étions installés en terrasse intérieure. Ma mère avait demandé à y avoir une table, pour la lumière dorée qui la baignait, mais elle se plaignait désormais de s'y trouver, le soleil la gênant. Nous avions échangé nos places, mais la chaleur aussi l'incommodait et elle avait remis ses lunettes de soleil, afin que le maître d'hôtel prît conscience de son grand inconfort. J'étais gêné, mais j'avais l'habitude. Il paraît que l'on est vraiment débarrassé de tout sentiment chauvin le jour où l'on n'a plus honte de ses compatriotes lorsqu'on est à l'étranger. De la même manière, la gêne est mon dernier lien à ma mère.

Elle chantonnait, comme souvent, sans trop s'en rendre compte. J'ai reconnu cette bourrée à trois temps dont les paroles résumaient si bien sa philosophie : « J'emmerde la moitié du monde (*bis*) et je chie sur l'autre moitié. » Sartre la citait dans *La Mort dans l'âme* : c'était la manière de ma mère d'être existentialiste.

Elle avait commandé la « formule », la « pièce du boucher ». Quelle que fût la carte, ma mère prenait toujours un steak-frites. Cela interdisait certains restaurants : toute tentative pour lui faire goûter aux cuisines indiennes, chinoises, libanaises, bref expérimenter une nourriture un tant soit peu exotique, a été un échec cuisant (si l'on peut utiliser ce cliché). Un steak, donc ; bavette, filet, faux-filet, entrecôte, châteaubriand, la terminologie importe peu, ce doit être de la viande rouge. Elle précisait chaque fois « à point », mais d'expérience, ce n'était jamais assez cuit. Presque toujours, le plat repartait en cuisine.

Et lorsqu'il en revenait, c'était « de la carne », et elle n'en mangeait que l'intérieur.

Ma mère mettait à rude épreuve le professionnalisme des garçons. Elle aurait pu servir de client test en école hôtelière. Dit simplement, ma mère était difficile.

Nous avions été installés à côté d'un vieux couple, ou disons d'un couple de vieux. C'était d'ailleurs peut-être un jeune couple de vieux. Je me rends bien compte que « vieux » est devenu un terme politiquement incorrect, physiologiquement imprécis et relativement mouvant. Quel âge ont les vieux dans « Les vieux », d'Alphonse Daudet ? Disons que mes vieux à moi avaient soixante-quinze ans, ce qui signifie que dans quinze ans, ils me paraîtront beaucoup moins vieux.

La place de Clichy est au croisement de quatre arrondissements aux personnalités tranchées et contrastées. Nos voisins étaient plutôt bourgeois du VIIIe arrondissement que populaires du XVIIIe. Lui en costume gris clair, cheveux blancs, elle en tailleur parme, mise en plis châtain et permanentée. On supposera qu'il devait porter *Eau sauvage* de Dior et elle *Air du temps*, de Nina Ricci.

Il y avait de la tendresse dans leurs yeux, comme on dit dans les romans. Une complicité encore fraîche, sans pour autant être nouvelle, qu'ils avaient su préserver du temps. L'homme eut un mouvement vers la femme et, du dos de la main, lui effleura la joue. Elle sourit, ferma les paupières et pencha joliment la tête pour accompagner sa caresse.

C'était un moment d'une ravissante jeunesse, un instantané de délicatesse partagée, qui disait que nous n'avons pas d'âge, même si parfois la réalité du corps reprend possession de nous.

Le geste de l'homme n'avait pas échappé à ma mère.

Elle leva à peine les yeux de son assiette et souffla, à voix basse, pour moi :

— Quel vieux con.

J'ai tout de suite su qu'elle parlait de lui seul, et pas d'eux. Pas une seconde, je m'en aperçois aujourd'hui, je n'ai douté du singulier. Elle a ajouté presque aussitôt, achevant de prouver ma première impression :

— Enfin… Tant mieux pour elle.

Je n'ai pas répondu. Ma mère avait toujours dit ce qu'elle pensait, pensé ce qu'elle disait. La discussion était vaine. Guy aussi avait toujours été « un con ». Pas un jour d'ailleurs sans qu'elle le lui assenât.

Elle ajoutait souvent dans un soupir de mépris : « Mais lui ou un autre… » Incapable d'être seule, ma mère avait fait le choix d'être avec n'importe qui.

Les deux vieux amants, à côté de nous, buvaient leur café en souriant. Ensemble, ils triomphaient du temps, ils donnaient presque envie de vieillir.

Je me suis demandé si, d'un homme plus jeune, ma mère aurait simplement dit : « Quel con. » Si c'était l'âge qui faisait le con, ou tout bonnement l'amour. Je penche pour la seconde option. Un homme qui aime est un con. Une femme qui aime, une conne. Quelle connerie, l'amour. Ma mère avait sa façon à elle de paraphraser Prévert.

Et mon éducation sentimentale ne s'arrête jamais.

XVIII

Toutes les familles heureuses

> « Toutes les familles heureuses se ressemblent ; chaque famille malheureuse l'est à sa façon. »
>
> Tolstoï, *Anna Karénine*

Je ne sais pas si Tolstoï a raison.

Je n'ai jamais rêvé d'une autre famille, et ce n'est que longtemps après ma fuite que je me suis posé la question de savoir si la mienne était malheureuse. Je sentais de manière confuse que quelque chose n'allait pas, très tôt j'ai voulu partir, et très tôt je suis parti. Il y avait chez mon beau-père trop peu de père, chez mon père pas de père du tout et chez ma mère trop de faux et d'amour malade.

Je n'ai pas connu, dans cette échappée, de vrai déchirement. J'ai toujours fort peu désiré m'insérer dans une quelconque lignée. Si j'avais été juif, noir, arabe, que sais-je, sans doute la tentation de la filiation eût-elle été plus forte. J'aurais peut-être, par manque de réflexion, été amené un jour à affirmer ma « fierté » d'être justement juif, noir ou arabe, ce patriotisme du sang qui, niveau stupidité, vaut bien celui du sol. Mais non : petit garçon catholique et blanc né à Paris, je ne relevais d'aucun exotisme, et j'ai échappé à toute sensation de pedigree grâce à l'asthénie de mon ascendance et à une transmission défaillante. Et puis, aurais-je été juif qu'en plus j'aurais eu une mère juive.

Je ne m'inscris nulle part. J'ai décidé de n'être rien – ce qui, je le confesse, demande peu d'effort – et de m'en réjouir, tant cela me paraît protéger du fantasme identitaire. J'ai conscience qu'on pourrait défendre l'absolu contraire, que l'ouverture aux autres n'est véritable que si l'on repose soi-même sur un solide socle. Mais l'appartenance est un terrain glissant, et l'équilibre mental du constructeur d'arbres généalogiques, cet être si désireux de dépendre, de descendre autant que de remonter, m'a toujours paru vacillant. L'arborescence prétentieuse de ces constructions familiales m'évoque ces empreintes de fuite que laissent dans la neige les animaux qui tentent d'échapper au prédateur. Il me plaît bien plus à moi de savoir que, voici huit cents millions d'années, mon ancêtre commun avec l'étoile de mer est un animalcule sans anus.

Pourtant ma compagne, lisant ce texte, m'a dit : « Eh, toi, ne laisse pas croire que tu ne dois rien à personne, parce que ce n'est pas possible. Si je me trompe, ce qui arrive parfois, ou si tu penses vraiment n'être redevable de rien à ta famille, alors creuse au moins cette question, dis-en quelque chose. Enfin…

Je me doute bien que, comme d'habitude, tu n'en feras qu'à ta tête. »

Bien sûr, elle a raison – ce qui lui arrive toujours. Je suis fait de bric et de broc, elle le sait, je tiens ensemble par des bouts de ficelle et je dois à tant de gens que je ne saurais les nommer tous. Alors comment pourrais-je ne rien avoir pris de ma mère, de mon père si absent, et même rien de Guy ? Mais c'est une autre histoire et, oui, je n'en fais qu'à ma tête.

Je ne me retrouve pas dans les livres qui évoquent la mère. François Mauriac veut se venger, Albert Cohen se faire pardonner, Romain Gary se faire consoler. Rien n'est plus tabou que le désamour et l'éloignement. Sans doute le rien n'est-il pas un sujet.

Ce n'est pas tout à fait vrai. Je feinte, je joue l'indifférent. On n'échappe jamais à ce qui nous a manqué. J'avais bien trop de mère déjà pour en vouloir une autre, mais je me suis rêvé d'autres pères.

J'ai rêvé d'un père en fuite. Il passe me voir en secret pour échapper aux tueurs ou à la police, il reste près de mon lit et me raconte ses aventures à voix basse, puis repart par la fenêtre.

J'ai rêvé d'un père paysan. Un taiseux qui rentre tard et se penche sur moi quand je dors déjà, il sent l'étable et c'est à cette odeur qui reste dans la nuit que je sais qu'il est venu.

J'ai rêvé d'un père admirable, plongé dans un travail dont tout m'aurait échappé. Il écrit à son bureau, à la lueur de la lampe, il lève soudain les yeux vers moi, et il me sourit.

J'ai rêvé d'un amour simple, pur, donné sans réserve, sans condition. En devenant père, j'ai tout de suite su qu'il n'y en avait pas d'autre.

L'amour. Dans *Voyage au bout de la nuit*, Céline écrit : « Je l'avais bien senti, bien des fois, l'amour en réserve. Y'en a énormément. On peut pas dire le contraire. Seulement c'est malheureux qu'ils demeurent si vaches avec tant d'amour en réserve, les gens. Ça ne sort pas, voilà tout. C'est pris en dedans, ça reste en dedans, ça leur sert à rien. Ils en crèvent en dedans, d'amour. »

Ces phrases, adolescent, je les avais recopiées dans mon carnet de citations, jaune à spirales – et que Céline ait pu tomber si juste en étant lui-même si méprisable reste un mystère pour moi. J'étais d'accord. Je le suis encore. Et si j'ai tant voulu le communisme, ce n'est pas seulement parce qu'il promettait l'égalité et la justice, c'est aussi parce qu'il aurait permis à l'amour qui est en nous de s'exprimer pleinement. Ce sont peut-être au fond les deux faces d'une même chose.

*

Je pense souvent à la scène finale de *L'Argent de poche*. Par la bouche de monsieur Richet, l'instituteur, qu'interprète Jean-François Stévenin, c'est François Truffaut lui-même qui parle. Un enfant, Julien, a été maltraité, battu par sa famille, et il va être « placé ». Les enfants sont sur le point de partir en vacances, certains quittent l'école pour le collège et monsieur Richet leur parle : « Par une sorte de balance bizarre, ceux qui ont eu une jeunesse difficile sont souvent mieux armés pour affronter la vie adulte que ceux qui ont été protégés, ou très aimés. C'est une sorte de loi de compensation. Vous aurez plus tard des enfants et j'espère que vous les aimerez et qu'ils vous aimeront. À vrai dire, ils vous aimeront si vous les aimez. Sinon ils reporteront leur amour ou leur affection, leur tendresse, sur d'autres gens ou sur d'autres choses. Parce que la vie est ainsi faite qu'on ne peut pas se passer d'aimer et d'être aimé*. »

Je n'ai pas été un enfant privé, battu ou abusé, comme le petit Julien. Je ne me plains pas. Je sais ce que je dois à ma drôle de famille, je sais ce que je dois au manque et ce que je dois au trop.

Si la vie se passe à combler les gouffres ouverts dans l'enfance, alors je sais pourquoi j'aime tant le rire qui ne pénétrait jamais chez nous que par effraction, pourquoi je n'ai cessé de me donner des familles électives, pourquoi mes amis me sont si chers.

Il y a aussi ma fragilité, mon à fleur de peau. Louis Jouvet disait à ses élèves : « Soyez émouvant, pas ému. » Mais je n'y parviens pas. Trop souvent je lis un texte et ma voix devient blanche, ma gorge se

---

* *L'Argent de poche*, réalisé par François Truffaut, scénario et dialogues de François Truffaut et Suzanne Schiffman, Films du Carrosse et United Artists, 1976.

noue, mon nez s'encombre, mes yeux se brouillent et je contiens difficilement des larmes.

C'est un embarras. J'ai tenté d'identifier ce qui me trouble, de repérer les lignes de faille par où surgit ce trop-plein d'émotion. Moi qui enterre mes amis sans excès lacrymal, je suis incapable de lire jusqu'au bout et à haute voix l'Ecclésiaste, ou ce poème d'Aragon, « La Rose et le Réséda » (« Celui qui croyait au ciel, celui qui n'y croyait pas… »), ou une liste de noms de personnes dont je sais le destin de poussière. Quelque chose en moi se brise, et je dois m'interrompre. Mais j'ai décidé que cette fêlure était peut-être aussi ma force, que c'était par ces craquelures que la vie entrait chez moi.

Je sais aussi que, parce que je ne pouvais pas vivre dans le monde de mes parents, ni dans le monde tel qu'il était, parce que je ne pouvais pas y respirer, j'ai voulu le changer, avant que vienne aussi le désir d'en inventer un autre, le mien, ma création subjective, celui où j'en entraînerais d'autres. Écrire, ce serait mon privilège, pour profiter du monde plusieurs fois, pour jouir sans fin de ma propre insatisfaction.

Mon père, mon beau-père sont morts, ma mère est folle. Ils ne liront pas ce livre, et je me suis senti le droit de l'écrire enfin.

Je ne sais pas ce qu'il peut bien raconter pour d'autres que moi. Mais en mettant des mots autour de mon histoire, j'ai compris qu'un enfant n'a parfois que le choix de la fuite, et qu'au péril de sa fragilité, il devra à son évasion d'aimer plus fort encore la vie.

Hervé Le Tellier au Livre de Poche

Assez parlé d'amour n° 31883

Anna et Louise ne se connaissent pas. Elles sont mariées, mères, heureuses. Presque le même jour, Anna va rencontrer Yves, Louise croiser la route de Thomas. À quarante ans, la foudre peut encore tomber et le destin encore s'écrire, mais à quel prix ? Hervé Le Tellier, en horloger délicat, trace la parabole de leurs trajectoires.

Eléctrico W n° 32933

« L'Eléctrico W est une ligne de tramway de Lisbonne. Mais si les tramways suivent des rails, la vie des hommes obéit à d'autres lois. » En septembre 1985, António, un photographe de presse, retourne à Lisbonne après dix ans d'absence. Il y retrouve Vincent, le correspondant du journal, afin de suivre le procès d'un tueur en série. Encore enfant, António a rencontré en une fillette, Canard, l'amour mythique, celui qui promet de grandir sans jamais s'affadir, mais ce rêve de bonheur s'est déchiré. Vincent a ses raisons pour vouloir guérir cette blessure. Lui qui est si peu doué pour la vie, lui qui n'achève jamais rien de ce qu'il entreprend, va tenter de retrouver Canard et de réparer le passé.

Du même auteur :

Sonates de bar, nouvelles, Seghers, 1991 ; Le Castor Astral, 2001.
Le Voleur de nostalgie, roman, Seghers, 1992 ; Le Castor Astral, 2005.
L'Orage en août, nouvelle, La Lettre volée, 1995.
De sincerita with las mujeres, dialogue, Plurielle, 1996.
Les amnésiques n'ont rien vécu d'inoubliable, pensées, Le Castor Astral, 1997.
La Disparition de Perek, roman noir, « Le Poulpe », Baleine, 1997.
Joconde jusqu'à 100, points de vue, Le Castor Astral, 1998.
Inukshuk, l'homme debout, roman, Le Castor Astral, 1999.
Quelques mousquetaires, nouvelles, Le Castor Astral, 1999.
Encyclopædia inutilis, nouvelles, Le Castor Astral, 2002.
Joconde sur votre indulgence, points de vue, Le Castor Astral, 2002.
Guerre et Plaies, billets, Eden Production, 2003.
Cités de mémoire, récit, Berg International, 2004.
La Chapelle Sextine, roman, L'Estuaire, 2005.
Esthétique de l'Oulipo, essai, Le Castor Astral, 2006.

Je m'attache très facilement, roman, Mille et Une Nuits, 2007.

Les Opossums célèbres, fables, Le Castor Astral, 2007.

Zindien, suivi de Maraboulipien, poésie, Le Castor Astral, 2009.

Assez parlé d'amour, roman, Jean-Claude Lattès, 2009, Le Livre de Poche, 2010.

L'Herbier des villes, collages et haïkus, Textuel, 2010.

Eléctrico W, roman, Jean-Claude Lattès, 2011, Le Livre de Poche, 2013.

Un fromage sans doute, historiettes, Hatier, 2011.

Contes liquides, sous le pseudonyme de Jaime Montestrela, Éditions de l'Attente, 2012.

Demande au muet. 115 dialogues socratiques de qualité, Éditions NOUS, 2014.

Moi et François Mitterrand, Jean-Claude Lattès, 2016.

L'Anomalie, roman, Gallimard, 2020. Prix Goncourt 2020.

Les gens qui comptent, poésie en mots et en dessins, avec Étienne Lécroart, 2020, Éditions les Venterniers.

Le Livre de Poche s'engage pour l'environnement en réduisant l'empreinte carbone de ses livres. Celle de cet exemplaire est de :
200 g éq. CO_2
Rendez-vous sur
www.livredepoche-durable.fr

Composition réalisée par PCA

Achevé d'imprimer en France par
CPI BRODARD & TAUPIN (72200 La Flèche)
en octobre 2021
N° d'impression : 3045515
Dépôt légal 1re publication : mars 2021
Édition 07 - octobre 2021
LIBRAIRIE GÉNÉRALE FRANÇAISE
21, rue du Montparnasse – 75298 Paris Cedex 06

75/7831/3